U0128241

# 俊逸文集

楊俊毓 著

巨流圖書公司印行

謹以本書獻給我最尊敬的父親——楊連益先生

# 目錄

# 推薦序：以古鑑今好文章

一九八三年柏楊版的《資治通鑑》出版將原版文言文翻譯成白話文，一時洛陽紙貴，我也馬上訂閱一套總共七十二本，這套書讓像我一樣讀古文不順暢的一般民眾，終於能夠有機會暢快地翻閱歷史名著，以讀小說的心情欣賞歷史上的重大事件、瞭解事件的前因後果，三十多年來成為我最常翻閱的書籍，放在客廳的書櫃中，只要看到古裝歷史劇，一定馬上翻書來讀這一段故事。隨著年歲的增長，生活經驗的豐富，家庭、朋友、同事間複雜的人際關係不斷開展，讓我逐漸瞭解到歷史不只是記錄一個皇朝的興衰史，更重要的它也是一個人、一個機構、一個社會成長發展過程中所必須具有的智慧與生存法則，當我們發現政治舞臺上、工作的機關、參與的團體上演的戲碼和《通鑑》上的人物舉動相似的時候，我們其實就可以預測它下一步的劇情。我在擔任臺大校長的八年中，充分感覺到《通鑑》對我主持校務時的判斷及決策上有極大的幫助。

這次高雄醫學大學楊俊毓副校長，他也是我們臺大畢業的校友。在臺大慶祝九十週年校慶酒會上，把他的書稿交給我，希望我幫他寫個序言。我回來一看就愛不釋手，被內容深深吸引，他的文章主要是針砭時事，不管是政治上的事件或是社會上所發生的現象，他都能提出客觀的看法與建議，相當中肯，比如他針對蔡總統的諫言就有好幾篇，講道理不畏權勢展現讀書人的風骨。不過與一般時事評論不一樣的地方是他會引經據典，借古諷今，引用古人說的某一段話，或從古書上引一段故事做為對照，這也顯示楊副校長熟讀古書，不管是文學、歷史造詣都很高，似乎信手拈來，展現出他豐富的人文修養。我特別欣賞書中的一篇文章〈書到今生讀已遲〉，那真是一種跨越時空生命的一項洞見，是有高度修為的佛道之士才能達成的境界。在〈有錢人留什麼給子孫〉一文中看到司馬光留給子孫的一段家訓，也足以讓沒錢的人深省：「積金以遺子孫，子孫未必能守，積書以遺子孫，子孫未必能守，不如積陰德於冥冥之中，以為百年長久之計」。我自己從事氣功與特異功能研究已經超過二十五年，對宇宙真相有一些理解，看到楊副校長在書中所引用的一些古代的例子都隱含對宇宙真相的描述，讓我不得不佩服作者也對真相有所感悟，才能寫出這麼好的知性及感性的文章。

我祝福所有讀者能夠從本書中感受到作者對親情、友情、國家社會的愛，大家能學習他的理性分析社會現象的思路，促成更美好的社會。

國立臺灣大學前校長　李嗣涔

# 推薦序

我和楊俊毓教授認識已超過四十年了，我們在公共衛生教學研究上相知相惜、公共衛生服務上一同犧牲奉獻，也常常一起出席國際研討會。俊毓在大學時期、研究所階段以及擔任教授的期間，一直是專業研究的佼佼者，擅長在專業領域發表學術論文，但從來都沒想到他於專業寫作之外，仍然可以在一般性的報章雜誌上發表這麼廣泛、深入、持續性的論述和創作，實在令人驚訝。

《俊逸文集》收集了俊毓於三年來在報章雜誌上所發表的文章，讀者們可於此書中的題材發現，他做為一位高等教育者，從關懷學生、學校與教育制度出發，論述了當今高等教育應興應革之處，從知識份子的角度，對近幾年來臺灣社會所面臨的政治、經濟、文化等面向的重大議題發表他的看法。俊毓的文筆獨樹一幟，坦白、樸實的風格反映出他來自臺灣小鎮成長背景的人格特質，對於事情現象的清晰描述和溫和批判，反應知識份子的堅持和臺灣人民的悲憫和包容。

對人對事的針砭不誇張、不極端，但也不模糊。溫溫的文筆書寫出複雜事情的糾結、人心的醜惡、人情的冷暖，這中間很多論述均有所本、不浮誇、不謾罵，以理服人的文風令人折服。

讀者們在閱讀這一本書的時候一定可以感受到的是，他在文章中常引用古書的故事來對照他所要論述的當下人物和事件，這樣古今交錯的寫作手法很特別。但是由於引用恰當，俊毓的文章不會讓人有掉書袋、說八股的感覺，反而因為透過時空的對照，常常使我們更能看清古人的智慧和今人的愚昧。相對於當今只看立場不問是非，拘泥意識不看事實的偏頗言論，這一種筆鋒彌足珍貴。

特別是在這一個不負責任的網路言論盛行的時代，假消息傷人害人的媒體環境之下，《俊逸文集》清晰簡單地談論出我們所關切的許多事情，提供我們面對問題時應該具備的成熟看法與寬廣角度。毫無疑問這是一本值得肯定、值得大力推廣的書。我相當開心自己有這樣的榮幸為這一本書作序，也期待俊毓能夠繼續寫下去，讓他健康的人生態度、儒學的道德判斷的言論，在未來持續提供我們在面對混混沌沌的事情時一個有用的參考和借鏡。

國立臺灣大學公共衛生學院院長　詹長權
寫於二〇一八年十月二十六日

# 自序

二〇一五年九月初，從巴西聖保羅參加第二十七屆國際環境流行病學年會返臺，適逢週六為調整時差，早上醒來未敢留在家裡，就到學校，見到校園裡的新鮮人，多數由家長陪同將行李等物品送入宿舍，有感而發，寫下了〈對孩子放手，是肯定也是祝福〉一文，投到《蘋果網路論壇》獲得刊登，隨後又寫了〈未曾住宿，不足以語大學生活〉及〈教，而後知不足〉，均獲刊登，開啟了我業餘寫作的序幕，不知不覺已延續了三年的時間，真是韶光荏苒，逝者如斯夫！

學術論文之外的寫作，對我而言可有可無，本是自娛娛人的休閒興趣，從沒有想過有出版文集的一天，如今無心插柳，卻柳成小蔭，已到了可以集印成冊的時候，真是意想不到啊！清初文學家張潮的〈幽夢影〉裡有一段文字，可以描述我目前的心境：「種花須見其開，待月須見其滿，著書須見其成，美人須見其舒暢，方有實際，否則皆為虛設」，我不經意的寫文章，如今眼見書將付梓印行，感覺非常踏實！

這幾年，臺灣社會急遽變遷，藍綠黨爭加劇，我以一介書生表達對國家社會事務的認知與關心，不期然地在過程中作了很多的表達與論述，基於對歷史文化的愛好，我的文章忠實記錄，不扭曲古人所言，充滿著「以古鑑（諷）今」的色彩，這是「述而不作，信而好古」。也許有人認為古人所言一文不值，但其實大可不必，因為畢竟這是祖先留下的智慧；但有時我也會「不薄今人愛古人，清詞麗句必為鄰」，古今中外，博采眾長，兼容並蓄，不全然述而不作，是既述且作。

這本文集共五十六篇，收錄二〇一五年九月到二〇一八年九月刊登於《蘋果網路論壇》（四十五篇），《臺灣時報》（九篇）及《聯合報論壇》（二篇）的文章，文章刊登後，朋友及讀者常給予慷慨而知心的共鳴與讚賞，如今彙集排版成冊，重讀一遍，雖仍自覺不完美，但各方來的迴響及應和令人感到非常欣慰與快樂，自覺過去三年的寫作工作深具意義，仍然值得繼續寫下去；因為我寫的是一種兼具知性與感性的文章，我抒的情是廣義的愛，其中包括親情、友情的愛，亦涵蓋了對國家社會關懷的愛。

這本書取名為《俊逸文集》，「俊逸」除取其與我的本名讀音相似外，亦期許已近耳順之年的我，在人生的下半場，能如文集之名，過個「清心飄逸，瀟灑自在」的生活，實為吾心之嚮往也！

楊俊毓

寫於二〇一八年九月二十四日中秋夜

臺灣高雄俊逸軒

# 對孩子放手，是肯定也是祝福

白露初秋，秋的腳步漸近了，秋風未拂，未有涼意，開學在即，校園裡多了一些新鮮人。新鮮人正興奮地忙著追逐青春夢想，尋找人生理想的大學校園。然而也意謂著要開始離開飯來張口，受盡無微不至照顧及保護的家庭。稚嫩的臉龐，在不熟悉的校園裡行走稍顯緊張。

今天在校園裡看到的新鮮人，多數由家長陪同將行李等物品送入宿舍，離開前還叮嚀一番，濃郁親情令人稱羨。事情真的很難兩全其美，這樣的照顧方式，固然讓小孩有幸福的感覺，但其實也讓小孩少了一次學習成長的機會，大學其實都有高中校友會之類的社團，提供高中學弟妹們新生入學服務，包括集體搭乘巴士到校及入校後的服務事宜，這個過程可以讓小孩親自與校友會聯絡，學習溝通，而共乘巴士可以認識更多來自不同科系的同儕，增廣見聞，更可感受被同儕幫忙的感覺，日後更願感恩付出、幫忙他人。

在中國歷史長河中，收拾行囊，赴京趕科考，投宿客棧，動輒數月，古之文人比比皆是，毅然離鄉赴書院或寺廟奮力苦讀，如范仲淹者流，這種古人之境遇不再有，但他們的境遇，其實也是培養他們成為自立而不是文弱書生的大學士的重要過程。

三十幾年前，筆者有幸考入臺大，從臺南鄉下北上讀書，除了國中畢業旅行外，臺北這個繁華都市對我是如此陌生及遙遠。手提皮箱（當時皮箱不像現在旅行箱可托著走），自己搭乘客運到臺南火車站，再搭乘平快夜車北上，到人生地不熟的臺北剛好天亮，下了車站詢問路人如何坐公車到臺大。到了臺大校園，學長姊一看便知是離鄉背井的鄉下來的新鮮人，很熱情地協助辦理註冊手續和入住宿舍事宜，就這樣糊里糊塗開始了扮演年輕青嫩的新鮮人，奕奕多彩的大學生活於焉開始，回想往事，歷歷在目，感謝當年陪我註冊的學長們。

我有三個小孩，最小的今年大學畢業，他們當年到臺北就讀，我及內人均未隨行註冊，他們都主動與高中校友會聯絡，自行收拾行囊，搭乘校友會承租的巴士北上，進住宿舍後打個電話報平安而已。在學期間，無論是暑假出國遊學或申請國際交換學生，我也都任其選擇自我成長的機會。

成長是小孩子的，他們都有各自的人生，只是緣分讓家長與小孩的生命交集很深而已，縱然如此，也改變不了小孩有各自的人生要過的事實。

最後，筆者要用投資學大師巴菲特的話來與新鮮人共勉：

做你沒做過的事情叫成長，

做你不願意做的事情叫改變，

做你不敢做的事情叫突破。

願你們未來的大學生活，都能精進學習，學習成長，學習改變自我，學習突破現狀，收穫滿滿。

原文刊載於二〇一五年九月七日《蘋果網路論壇》

# 未曾住宿，不足以語大學生活

這幾年，大專校院舉辦新生家長座談會已蔚為風潮，出席座談會的學生家長逐年增加，甚至有人倡議學校組成學生家長會，顯示家長對小孩的關心，為大學高中化增添一例事證。在座談會中提問的問題，琳瑯滿目，五花八門，但其實多為學子日常生活瑣事，說穿了只是家長不放心，捨不得小孩受苦受傷，盡他們最大力量保護小孩而已。

其中最常提問的是學子的住宿問題，包括宿舍有無洗衣機？有沒有熱水？房間清潔由誰維護？室友如何決定等，對離鄉背景、異地求學的學子而言，這是入宿後會碰到的問題，卻也是一生當中珍貴獨立成長的機會。年輕人多吃點苦，磨練一下心志，惕勵自己只有好處，過爾優逸，未來恐不堪事。畢竟，有風有雨才是真實的人生。

大學其實就是「大大學習」的場域，無處不可學習，住宿是大學生活的開始，在這裡，與不同科系的室友萍水相逢，相逢即是有緣，俗云：「十年修得同船渡，百年修得共枕眠。」大家可同居一室，可說是累世修來的緣份。在宿舍裡，可以與室友談往事論未來，談理想論抱負，談古論今，甚至談愛情，天南地北無可不談。想與那位宿舍芳鄰閒聊，亦可立即披上衣服去探訪，聊天串門子，這都是摯情流露，純真的友誼，可以體驗一下「不為五斗米折腰」的五柳先生「相思則披衣，言笑無厭時」的真率性情。五柳先生本有四海之內皆兄弟之胸襟，嘗寫信給兒子，喻知「當知四海皆兄弟之義」，也曾為文說「落地為兄弟，何必骨肉親？」

在少子化的年代，學子更應思在大學期間，廣結良師益友，以備將來有助一展鴻鵠之志。劉備、關羽及張飛的手足之情，三人寢則同床，恩若兄弟，某種意義上也可以說是同一屋簷下培養出來的親密情感，在三國亂世都各自走出了傳奇人生，桃源三結義的故事至今仍膾炙人口。

最近幾年，大學學子流行走出臺灣，到海外遊學或旅遊住宿寄宿家庭（Home Stay），除了學習語言外，可增廣見聞，拓展全球視野，並貼近體驗異國文化與生活習慣。海外遊學可以提高學子國際視野，在全球化的今天，有其重要性。而大學新鮮人住宿，可以接觸異鄉異地（有時還有國際生）的同儕，以及面對來自不同社會階層的學子，有的是來自錦衣玉食的富裕家庭，有的卻是來自三餐不繼的貧困家庭，這何嘗不是另類的 Home Stay？可以瞭解不同出身背景的想法與生活方式，對學子的社會化過程其實很重要。有的家長寧願幫小孩在外租套房，甚或在學校附近購屋，也不願讓小孩住宿，讓孩子失去了過團體生活的機會。殊不知，住宿的團體生活可讓學子養成尊重別人，與別人分享心情故事及養成自律的行為，並可培養合群的習慣，一個尊重別人的人，會受別人的尊重，一個願意和別人玩在一起的人，相互關懷，學習溝通，方不會變成宅男，或孤僻、心理偏激不成熟的人。

爾來，西方大學的書院教育在臺灣及中國大陸深受重視，許多大學紛紛仿效施行，大有風起雲湧之勢，書院教育最重要的精神之一即是要求大一學生住宿，這是新的教育潮流，期望培育出不同氣質的未來新世代。「不曾相思不足語愛情」，我要說「未曾住宿，不足語大學生活」，我極力鼓勵家長，如果學校有提供學生宿舍，盡量讓學子住宿，放手讓他們過群體生活，讓大學生活成為人生精彩的回憶。

原文刊載於二〇一五年十月十九日《蘋果網路論壇》

# 滷蛋的滋味

民國六十年代的臺灣還是個相當傳統的農村社會，工業化尚在萌芽階段，農村景象，正呼應孟浩然詩中「綠樹村邊合，青山郭外斜」，亦如陶淵明詩「孟夏草木長，遶屋樹扶疏」般，生態一片綠意盎然，農家生活單純、恬靜和安樂。

生長在窮鄉僻壤農村的我，小學畢業後，到車程十五分鐘的臨近小鎮就讀國中，每日帶便當通學，農村社會物資缺乏，多數食物都是自我栽種及養殖，甚少加工食品。雞是農村社會裡最常見的家禽，人們在農家眼睛看的，耳朵聽的，總離不開雞，但雞只有逢年過節才吃得到，要「呼童烹雞」也只有「故人具雞黍，邀我至田家」的熱情招待場合方可一見。阿娘無法為我準備豐盛的食物，雞會生蛋，便當裡最尋常的食物就是雞蛋，我的便當裡可謂「盤飧市遠無兼味」，可是午餐時刻，嚼著這種飯時，也是津津有味。從便當的內容可見同學的出身，出身寒門的學子，便當盒半遮掩不敢全開，深怕被別人看見自己帶的食物，我隔壁的同學是小鎮上富家之子，便當盒每日都帶不同的食物，有日見其飯盒有滷蛋及滷肉，一陣滷香味，撲鼻而來，真讓人垂涎欲滴。

那天放學回去，我問阿娘會不會做滷蛋，阿娘說：「傻孩子，阿娘也沒吃過滷蛋啊！那應該是用瓦斯爐以小火慢煨而成的吧，以後有瓦斯爐，阿娘再做給你們吃。」唉！真是「貧者不解煮」。阿娘說的也對，辛苦務農的她，「晨興理荒穢，帶月荷鋤歸」，「道狹草木長，夕露沾她衣」，每日雞鳴即起，柴火煙焰起，煎個荷包蛋或蔥蛋放進便當盒，讓我們不用餓著肚子，只要我們長大就好。有一天我放學回家，發現廚房裡有一臺新的瓦斯爐，我喜出望外，直覺告訴我，吃滷蛋的日子近了，終於阿娘荷鋤歸，母子相見兩依依，阿娘說：「等這一季紅蘿蔔收成，買一臺冰箱，一次滷多一點，你們每日便當盒裡都可以有滷蛋了。」阿娘泛紅的眼神透露出「但使願無違」的喜悅之情。

談及雞蛋，令我想起「杏林」的典故，董奉是三國吳之名醫，他為貧人治病不取酬，當地貧窮病人不以「物小而不為」，為表達董奉的救命恩情，把家中飼養的雞或雞蛋送去以示感謝，董奉總是說：「你們身子比我更需營養補給，你們帶回家吧！」這是多麼溫馨的醫病關係。後來董奉同意病人，痊癒後在其家後院植杏樹，數年後得十餘萬株（杏樹成林），杏結實後，董奉又把杏子換成穀子來濟貧，後來董奉因行善死後成仙，所以後世稱醫界為「杏林」。三國雖是戰亂時代，但在董奉的這片杏林，卻經常洋溢暖暖的春意，故有「杏林春暖」之語。然而，對照今日醫療糾紛事件時有所聞，甚至發生毆打暴力情事，撫今追昔，真可謂世風日下。許多美好的事務，都是因為單純。現在的紛擾，是否因為醫學倫理的淪喪？或妥協於生存的複雜而忘記了初衷？

蛋的做法很多，我獨愛吃滷蛋，滷蛋的單純滋味，夾帶著阿娘濃厚的愛，愛是重要的調味料，吃遍各地的滷蛋，還是阿娘做的最有滋味，那滋味可勾起我四十多年前的回憶，今夜很想打電話回去跟阿娘說：「阿娘，妳再滷一鍋滷蛋，讓我們回味一下『開軒面場圃，把酒話桑麻』的往日時光。」吃著滷蛋、家常菜肴，輔以家常的談天說笑，語雖淡，卻增添親情的真實韻味。

原文刊載於二〇一五年十一月三日《蘋果網路論壇》

# 教，而後知不足

《論語・學而篇》，子曰：「學而時習之，不亦說乎？有朋自遠方來，不亦樂乎？……。」四十年前，以為為學只要隨時隨地學習，學習之後，時時加以溫習，就可以心中喜悅了。可是我從來也沒高興過，回想起當年老師逼我們背書時，真是「不亦苦乎」。因為困難的是理解書中的要義精髓，「看書不難，能讀為難」啊！

筆者取得博士返臺，忝為教席，忽焉二十年已過。初返臺，總是不間斷地溫習在美所習之理論與知識，經消化吸收領悟後，傳授給學子，可謂「月無忘其所能」，從心理學角度而言，任何接觸過的東西，沒有達到牢固記憶的狀態下，如果不及時溫習，都有可能遺忘，「溫故而知新」真可以為人師。畢業自名校，自以為「多學而識之」的我，在教學過程中，教然後知不足，才深刻體會到自己學識的不夠，及自己知識的不通達、不夠深入及透徹，以致於不能順暢簡單地表達抽象的概念，可謂「教，然後知困」。這個歷程，閱歷尚淺，讀書多就字面作解，就如清初著名文人張潮〈幽夢影〉中所謂的「少年讀書，如隙中窺月」。雖能見到一輪明月，月之光華，難見多少。

隨著研究的次第展開，必須運用所習的知識和研究方法，加以靈活運用和創造發揮，並建立自己的知識研究體系。我總是每次只抓住一個主題來鑽研，等消化融會貫通後，再鑽研另一個主題，一點也沒有貪得無厭，而如此慢慢做起學問來。這一階段可謂經過深思熟慮後，知識的踏實鍛鍊，體驗到了「讀書不難，能用為難」之滋味，但從研究中所學習體驗的知識，顯得更通透紮實，更讓我瞭解閱讀只能提供知識的材料，若要據為己有，必須依賴研究及思索之功，否則縱使飽學知識也不會有真見解，真是「學而不思則罔」啊！正如〈幽夢影〉中所說的「中年讀書，如庭中望月」，站立庭院觀賞明月，可見到明月的皎潔圓明，光潔明亮。

年過知天命之年，研究及教學經驗的累積，教（讀）起書來，不僅能解字外寓意，也能就近以自身研究作比方及例證，「能近取譬」，言多詣理，甚至對書本的理解，多能超出著作者的寓意，蓋「閱歷之淺深，為所得之淺深耳」。用自己從研究中得來的經驗培養自己的學問，雖無成一家之言，但真誠專一的知識累積，努力持續的研究經驗，「真積力久則入」，教起書來充滿深造所得的樂趣，恰如〈幽夢影〉中所謂的「老年讀書，如臺上玩月」。獨立高臺賞玩明月，從容自如，所見至廣。

到目前為止，有兩位得到兩次諾貝爾獎的殊榮，一位是居禮夫人，一位是美國化學家鮑林，鮑林晚年主張維他命C可以預防感冒，有天受邀到耶魯大學演講，聽他對維生素C近乎偏執的狂熱鼓吹，他用簡單的語言，深入淺出地闡述他的主張，邏輯層次分明，緊緊抓住聽眾的思緒，那種自得其樂從容教學的境界，令人有「聽君一堂課，勝讀十年書」的讚嘆，恰巧能趕上一場諾貝爾獎得主的演講，需要不錯的運氣，那真是一場典範學習，心中許下「有為者，教亦若是」的願望。

臺灣學術界近年流行研究量化指標，導致學者被批評重研究輕教學，甚至有主張研究型教師可減授時數之說，其實研究教學是一體的，相輔相成。研究可助知識由粗淺而深知，有助於知識表達，愛因斯坦曾經說過：「如果你無法用簡單的語言來表達，表示你對知識的瞭解不夠深入。」(If you can not explain it simply, you do not understand it well enough.）如果一個研究者無法精進其教學，那會如陳之藩先生說的：「專家還不是一條訓練有素的狗。」我時常惕勵自己，研究做不好，對不起自己，教學沒教好，對不起學生。

投資學大師巴菲特在美國大學演講，學生問：「你認為什麼樣的人生才是真正的成功？」他說：「一個人的成就，不是完全以物質衡量，而是你善待過多少人，幫助多少人實現夢想，有多少人懷念你。」做為學者，到了我這個年紀，無論發表多少論文，在浩瀚的知識領域如蒼海之一粟，增一篇不會增加在學界的分量，少一篇也不影響在學界的地位。

「悟已往之不諫，知來者之可追，實迷途其未遠，覺今是而昨非」，在退休前，用成熟的人生智慧，用「幫助多少人實現夢想」、「有多少人懷念你」當成新的標準，「後天下之樂而樂」會比追逐 SCI 期刊論文更有人生意義，當然教學不是簡單的事，「教」然後知不足，「教」然後知困，因此「學不可以已」。

原文刊載於二〇一五年十一月十三日《蘋果網路論壇》

# 書到今生讀已遲

清朝詩人袁枚提倡真性情，反對假道學，文章以思想開明、感情真摯為基本特色，我非常喜歡。「書到今生讀已遲」這句話就是出自他的《隨園詩話》，這是他聽聞了宋朝詩書畫三絕大文學家黃庭堅前世今生的故事後，所發出的感嘆。黃庭堅自幼聰穎異於常人，五歲能誦五經，七歲寫過一首〈牧童詩〉。意思是像黃庭堅這樣有美好文采的人，早在無數個前世前就已開始讀書了，並不是今生才開始讀書的，也就是累積好幾世的鑽研才有今生的成就，如果這一世才開始讀書已經太晚了，這是生知的天才。

這種生來的天才，歷史上的記載不勝枚舉，最有名的例子非唐朝白居易莫屬，白居易生來絕頂聰明，七個月時就認識「之」、「無」兩字，屢次試驗，拿一本書叫他指，都是指到「之」、「無」二字，毫無差錯，五歲時開始學作詩，九歲時已可寫律詩；李白少即聰穎過人，「五歲頌六甲，十歲觀百家」；杜甫也是自幼聰明的天才詩人，七歲時作了一首〈鳳凰詩〉，令祖父大吃一驚；蘇軾自小是個神童，飽讀詩書，曾狂妄地寫下一副對聯，上聯是「識遍天下字」，下聯是「讀盡人間書」。

人生下來天賦資質就不同，孔子依據天賦之不同將人分成四等，第一等人是「生而知之者」，這是天才，讀起書來一看就懂，根本不需要老師；第二等人是「學而知之者」，這種人有高的聰明才智，只要主動學習，也可以很快明白書中道理；第三等人是「困而學之者」，這是中等智能，才幹平庸之人，需非常努力學習才可勉強明白書中道理；第四等人是「困而不學者」，這是駑鈍之才，下等資質的人，說什麼也不肯學習的人，其實學了也不見得懂。人的資質生而不平等，才智平庸愚劣，也符合統計學的常態分布法則。孔子自認「我非生而知之者」，不是生來的天才，他的成就都是「敏以求之」力學而來，當然這是孔子謙虛的話，也是鼓勵後人要踏實勤敏地學習方能有成，否則縱使是天才兒童，也可能會「苗而不秀」，「秀而不實」，也就是「小時了了，大未必佳」，變到最後不成器的結局。

小時候，老師時常告訴我們「勤能補拙」，不要為自己的天資不敏而懊惱，只要勤勞不懈就能熟能生巧，彌補天資之不足，「人一能之，己百之；人十能之，己千之」，「補拙莫若勤」。事實是如果天資不夠聰穎，進步空間有限啊！勤固能補拙，但是只能補「有限的」一拙，先天能力只有三十分者，再怎麼勤奮，進步到五十分是可能，但要到八十分恐怕力有未逮，甚難到達，強求不得。

少子化的年代，父母望子成龍，望女成鳳，恨鐵不成鋼，從小就積極栽培，孩子才上國小，就天天補習，求好心切，不顧孩子資質，硬要孩子變成資優生，甚至為求速成，一味跳級求深，揠苗助長的結果，不但無益，反而有害，苦心極力，除非小孩資質夠，否則受苦的小孩，最後也無所得。再怎麼天真的小孩，都想要力爭上游，成為父母心目中所謂的好孩子，但是名列前茅者有限，父母也不應責難於小孩！「天下無不是的孩子」，畢竟他們也希望能為父母爭氣，成為父母眼中的好孩子啊！只是受精卵成形後資質已決定，要怪就怪沒遺傳給孩子聰明的基因，以致孩子「困而學之」也無所得。

傳統文化的價值觀是「萬般皆下品，唯有讀書高」，孩子是自己的好，但不是人人都能成才，也不是人人都適合讀書，父母其實應該即早面對現實，瞭解小孩是否為讀書的料子，老師也應給予適性的輔（教）導，發現孩子的特殊天分，須知「天生我材必有用」，上天賦給小孩的資質，一定有可用的地方，就是要相信「天無絕人之路」，「一枝草，一點露」，讓孩子安心地做自己。

當然，「學海無涯，而生也有涯」，像蘇軾這樣的曠世奇才，也曾感嘆地說出「書到今生讀已遲」的真實話！臺灣俗諺也說「讀書半生成」，如果這輩子讀書無所成，並不是否認今生的努力，袁枚所說的「書到今生讀已遲」，應該再加上一句「惠及來世當此時」。既然過去的收成已成定數，那麼現在的耕耘決定著未來的收穫，命運掌握在自己的手裡！

原文刊載於二〇一五年十二月二日《蘋果網路論壇》

# 人不可以無癖

晚明時期著名散文家張岱在其《陶庵夢憶》一書中嘗言：「人無癖，不可與交，以其無深情也。」意思是說人如果沒有雅癖嗜好，非性情中人，就不要跟他往來。所謂癖好，是積久成癮而有某種莫名的喜愛或偏好，這是個人的選擇，而從選擇中可以看到人的個性，往往也因為對喜好的事物，過於關注投入，愛一物而不能自己。有著執著，有著真實，而成為平常生活重要的一部分。只要深情沉迷其中都可以是癖，然而能如此，皆因深情之所致。

「事到可傳皆具癖」，人各有好尚，蘭茝蓀蕙之芳眾人之所好，海畔亦有逐臭之夫。嗜好是人個性的象徵，陶淵明獨愛菊，是欣賞到了菊花隱逸的情操，與自己不為五斗米折腰的志氣不謀而合；宋儒周敦頤卻獨愛蓮花，因其「出淤泥而不染，濯清漣而不妖，……可遠觀而不可褻玩焉」，以蓮花比喻自己具君子的美德；讀書以忘情也是癖，孔子以好學自許，學而不厭，曾云：「十室之邑，必有忠信如丘者焉，不如丘之好學也。」他發憤求學問，常常連飯都忘了吃也沒感覺，當學問上有獲益時，快樂得憂愁都忘了，甚至忽略了衰老之到來，發憤忘食，樂以忘憂，不知老之將至，這就是一種修養，也是一種境界，那份專注，非有讀書做學問的癖好，豈有可能？

戀物是癖，深情愛人也是癖，歐陽修曾說人生自是有情痴，此事無關風與月，張潮《幽夢影》也說情必近於痴始為真，情感到了如痴如醉，不能自己時才是真情，柳永的衣帶漸寬終不悔，為伊消得人憔悴，更是描寫有情人對意中人的情真意切、專一痴情，「只有那一點痴情，愛河沉未醒」。除了情人之外，一個人也需要有共同興趣愛好的朋友，就是所謂的趣（氣）味相投的朋友，有共同的癖好很容易變成知音，也因為志趣相投，可以變得無話不說，傾心交往，有相同癖好志同道合的朋友，可以相互鼓勵成為人生的真摯情誼。

人生多苦難，癖好成了寄托之所在，給了心靈一片自在遨遊的天空。宋代大文學家文壇領袖歐陽修，詩詞散文均為一時之冠，生平最愛書，藏書一萬卷；愛收藏金石佚文，編有《集古錄》一千卷；愛彈琴，有琴一張；愛下棋，有棋一局；愛喝酒，常置酒一壺；加上他自己居於其中，因此晚年給自己取一外號，自稱「六一居士」，歐陽修因捲入黨爭，貶到滁州當太守，因酒量不好，稍微喝一點就醉了，所以自號醉翁，醉翁亭之名由此而得，〈醉翁亭記〉是那段時日留下的不朽散文珍品。歐陽修雖仕途失意，領會在心裡，而寄託在酒中。醉翁之意不在酒，而在於山水之間，觀賞山水的樂趣，當人處逆境時，嗜好就成了精神寄託及精神支柱之所在，可以幫助減輕精神壓力，克服眼前的失意與困境，「癖」的確是以順處逆的治療良方，從而使生活過得更坦蕩灑脫。白居易山中獨吟詩云：「人各有一癖，我癖在章句，萬緣皆已消，此病獨未去，每逢美風景，或對好親故，高聲詠一篇，恍若與神遇。」可見白居易透過癖好吟詩能獲得好心情，一個人有了癖好，就等於把生活中寂寞的辰光換成巨大享受的時刻，讓生命變得更深刻充實。

人不能夠沒有自己的嗜好，否則無法顯示生活的情趣。聊天除了工作還是工作，日復一日，年復一年，豈不是無趣而單調。《幽夢影》所說的：「花不可以無蝶，山不可以無泉，石不可以無苔，水不可以無藻，喬木不可以無藤蘿，人不可以無癖。」花與蝶，山與泉，石與苔，水與藻，喬木與藤蘿，恰是天工巧計，點綴生輝，缺乏這些綴合，便單調索然，缺乏情趣與意境。

由吸引力法則來看，「你若盛開，蝴蝶自來」，生命中的一切所願，與其苦苦追求，何不培養自己，而使生命更多彩而富足。讓我們平日多多培養雅趣，增進生活的情趣，與人相交也可增加深度與趣味，友誼長青。嗜好也像自己的知己，世上能得一知己，人生可以不恨矣。

原文刊載於二〇一六年二月十五日《臺灣時報》

# 三日不讀書面目可憎

黃庭堅是宋朝著名文學家，他有一句千古名言，常令人傳頌不已：「士大夫三日不讀書，則義理不交於胸中，對鏡便覺面目可憎，向人亦言語乏味。」意思是說讀書使人心智豐富，增進智慧，改變個人氣質與修養，否則對鏡子看面目醜陋，對人說話也庸俗乏味，林語堂在《生活與藝術》一書中也說人如讀書即會有風韻，富風味而人生充實，明儒王陽明也嘗言：「三日不讀書，則言面生塵。」南宋詩人陸放翁更言：「半年不讀書，顧影疑非我。」前賢飽讀詩書，形神豐美，令人嚮往。

唐宋八大家之首的韓愈為了鼓勵兒子韓符用功讀書，寫了一首〈符讀書城南〉的詩，明白告訴兒子「人之能為人，由腹有詩書」，而且詩書只有勤奮才會有，不勤奮也是肚子空空如也，「詩書勤乃有，不勤腹空虛」，詩中還隱喻不勤學讀書就庸庸碌碌過一生，勤學讀書未來就能成為人中龍，並鼓勵韓符要勤學，並勉以黃金璧玉雖是重寶，但難以貯藏，學問就藏在自己身上，身在就用之有餘，當然韓愈的詩是在強調讀書的重要性，《民法》上出生即取得民事主體資格的自然人與讀書一點關係都沒有，反而是自然人可經由讀書，多學而識之變成所謂的文化人。

中國傳統文化萬般皆下品，唯有讀書高，貧者因書而富，富者因書而貴的觀念，深植人心，這當然是受到科舉制度文化的影響，古代勸人讀書，可以求得功名，也能娶得美嬌娘，北宋第三代皇帝宋真宗的〈勸學詩〉說的最貼切，他說富家不用買良田，書中自有千鍾粟，安居不用架高堂，書中自有黃金屋，娶妻莫愁無良媒，書中有女顏如玉，出門莫愁無人隨，書中車馬多如簇，男兒欲遂平生志，五更勤向窗前讀，其實讀書也可以不用這麼功利，我們可以把書當朋友當老師，莎士比亞說書籍是全世界的營養品，生活裡沒有書籍，就好像沒有陽光，把讀書視為生活的一部分，從中汲取營養，增長知識，讀書猶如一帖良藥，善讀書者可以醫治自己的愚蠢。

讀書不只是吸收知識，也攸關人的氣質與修養（為學大益，在自求變化氣質），簡單說就是知識能塑造人的性格，在缺乏教養的人身上，好勇就會成為粗暴容易闖禍出亂子（好勇不好學，其蔽也亂）；正直直話直說一點也不能保留的人，很容易變成尖酸刻薄，而輕易把事情搞砸了（好直不好學，其蔽也絞）；剛正不阿不易轉彎的人，很容易變成迂腐而狂妄自大（好剛而不好學，其蔽也狂），正如英國散文家斯蒂爾（Richard Steele）所說讀書之於心靈如同體育之於身體，體育可以保持及增進健康，讀書則可增進和堅定德性，蘇軾也嘗言：「腹有詩書氣自華。」知書達禮，應對得體，形神自然豐美，散發豐采，眉慈目善。

全球化知識經濟時代的風潮，學識（產品）的生命週期越來越短，現代人更應掌握知識脈動，隨時感到不充實，如果不更加努力很容易被時代淘汰，讀書習慣的養成益形重要，我們都要有「學如不及，猶恐失之」的心態，不以忙閒作綴，對於下一代，我們更應好好教育他們讀書，否則下一代會越來越魯莽無矩而沒有教養，「有書不教子孫愚」啊！教他們懂得如何讀書，他們的生活才會充滿意義與樂趣，否則成天當滑手族，對自己的氣質與素質的昇華著實有限，現代的高等教育應重視培養學子讀書習慣的養成，因為讀書足以怡情，足以博雅，足以成長，這是通識教育很重要的精神。

「用之不弊，取之不竭，求之無不獲者，唯書乎！」多做好事使人快樂，多讀好書可以使人芳香，香水香一日而逝，花香三日不可聞，書香不可聞但可傳諸久遠，新春伊始，期許大家開卷有益，昇華我們的生活品質，願我們的社會是個富而好禮的書香社會。

原文刊載於二〇一六年二月二十二日《臺灣時報》

# 謙卑、謙卑、再謙卑

總統當選人民進黨主席蔡英文在元月十六日當選之夜，以黨主席身分對民進黨全體黨公職人員下的第一道命令是「謙卑，謙卑，再謙卑」，其感性低調的談話內容確實感動許多選民，這是一個良好的政治開端，領導人的為政就是要先修身正己，起帶頭作用，做人民的表率，所謂「政者，正也，子帥以正，孰敢不正？」。老子也說過「欲上民，必以言下之」，要想做一個領導人，既然要為民眾服務，就必須處處以民眾的需求著想，態度也要盡量謙虛。

《書經》說：「謙受益，滿招損，時乃天道。」「謙」的意思是什麼？我覺得南懷瑾的解釋最貼切，他說「謙」就是「欠」，就像喝酒一樣，少一杯就蠻好，腦子清醒，不胡言亂語，如果再加一杯，可能就窘態畢露，開車會誤事了；倒酒也是一樣，八分滿就夠了，再加滿就惡罐滿盈了；吃飯也一樣，「君子食無求飽」，八分飽就行，過了頭，適得其反；「竹解虛心是我師」，也是教人做人做事要如中空的竹子一般，心中常懷著虛心，若讓妄想充滿心中，便失去真心及最好的初衷，若志得意滿、代之而起傲慢心，就不易接受他人的金玉良言了。

自滿的人，驕矜傲慢，大言不慚，主觀武斷。浮揚不實，常誇誇而談，以為自己什麼都懂，往往顯露自己的淺薄無知。半罐水響叮噹，俗諺有云：「膨風水蛙割無肉。」英國文學家托馬斯哈代（Thomas Hardy）說：「驕傲的人，往往用驕傲來裝飾自己的卑怯與無能。」蘇格拉底說：「驕傲是無知的產物。」其實自誇得愈厲害，別人也懷疑得愈厲害。反觀謙遜的人，腰永遠是彎的，沉穩內斂不會沾沾自喜，不會志得意滿，不會月亮下面看影子越看自己越偉大。像孔子這樣學問豐滿的人，其人格特質平易近人，虛心學習，滿罐水不響反而越謙虛，嘗言：「三人行，必有我師焉，擇其善者而從之，其不善者而改之。」越成熟飽滿的稻穗，頭垂得越低，彎下腰向孕育它的大地致上深深的感謝，「稻熟低穗，人熟低聲」，沒有自高、自大、自滿的人才是真偉大，謙卑乃是智慧的明燈。

這個故事，大家耳熟能詳。有一次孔子與子路、曾晳、冉有及公西華促膝長談，大家都瞭解子路這老兄性子急，他大言不慚國家大事，離不開個人英雄主義，一點都不謙讓，所以孔子曾哂笑他說「為國以禮，其言不讓」，孔子的意思是說國家大事不是那麼簡單，要有謙遜的精神。魏徵〈諫太宗十思疏〉也嘗言：「愈高危，則思謙沖而自牧。」所以領導人要自甘卑下，克己養謙，以謙卑來約束修養自己，謙謙君子，卑以自牧，畢竟「上無驕行，下無諂德」。歐陽修說：「貪滿者多損，謙卑者多福。」富貴而驕，必定自招其禍，凡事應適可而止，不可自滿過分，老子早就告誡我們：「持而盈之，不如其已。」能保持原有生命的充裕，已是最大的幸福，如果無限上綱的擴展欲望，永無滿足，最終得不償失，倒不如安於已得到的本位，始合乎自然之道。

有人把「謙卑，謙卑，再謙卑」改為「千杯，千杯，再千杯」，讓人莞爾一笑，但也需嚴肅以對，尤其是官僚體系的公務員薪資有限，觥籌交錯，所費不貲，雖然無法要求公務人員過清儉的生活，但謹言慎行，不奢侈浪費，則所犯的過失就會較少，所謂「以約失之者，鮮矣！」，公務人員能儉約，欲望就較少，為官者欲望少，就不會被外物所支配，自可依法行事。公務員最忌有喝酒的機會，縱情歡樂，一口氣喝它個三百杯，以不負良辰美景珍饈佳釀，「人生得意須盡歡……會須一飲三百杯」，結果在酒精的催化下，顯露驕態而不謙遜，口出狂言而不守規矩，窘態畢露而失官箴。尤有甚者，一攤續一攤，「夜飲酒家醒復醉，歸來彷彿已三更。太太鼻息已雷鳴，敲門都不應……」。為官者欲望多，就會貪求富貴，貪財索賄，所以孔子才說：「奢則不遜，儉則固，與其不遜，寧固。」公務員之品德操守雖是老生常談，但不輕小事而後乃能成大事，登高必自卑，行遠必自邇，居卑而後知登高之危，為政是漸次的實踐，勿需高談闊論，一步一步腳踏實地方能自然有成。

居上位者的思想會影響社會風氣，曾國藩有言：「風俗之厚薄，繫乎一、二人心之所嚮而已。」領導者之言行舉止，會影響國家政治之隆汙、核心價值及社會的民風民俗，上有好者，下必從焉。謙卑的風氣，在總統當選人蔡英文的呼籲下必能收風行草偃之效，我們樂見「一家讓，一國興讓」。民進黨完全執政，蔡英文說不會整碗全捧，這是好的開始，蘇試說：「恃大而不戒，則輕敵而屢敗，知小而自畏，則深謀而必克。」老子說：「以其終不自為大，故能成其大。」上位者被人尊崇而統治天下的最根本原因，是自始至終不妄自尊大，而能虛靜處下，但歷史的經驗告訴我們，有善始者實繁，能克終者蓋寡，載舟覆舟，領導人所宜深慎。

原文刊載於二〇一六年四月十三日《臺灣時報》

# 有容乃大

有容乃大，語出《尚書》：「必有忍，其乃有濟；有容，德乃大。」意思是說必須有容忍的心，事情才能成功，小不忍則亂大謀，做人更要胸懷廣闊，有度量，能寬容，道德自然博大，品性自然高尚。「海納百川，有容乃大」是清末兩廣總督林則徐至廣東查禁鴉片時手書自勉對聯之上聯，對聯之下聯為「壁立千仞，無欲則剛」。本意是待人接物應仿效海洋，以廣大的胸襟和寬容的態度去接納不同的人事地物；像大海可以容納無數江河細流，才能成就大業。

老子的思想與智慧來自大自然的啟迪，他告訴我們做人做事的法則要從大自然中學習，人要效法大地，大地則效法於天，天則要效法於道，道則效法自然，就是所謂的「人法地，地法天，天法道，道法自然」。「水唯善下方成海」，這是自然的道理。流水只有不停往下流，流到最低處方能成就海洋，因為大海是世界上最低的地方，容納一切，才能接受天下河流奔往匯歸，而為百川之王。「上善若水，水善利萬物而不爭」，水滋養萬物，不和萬物相爭，蓄居在大家所厭惡的卑窪地方，自居下流，包容一切也能化解一切。「人往高處爬，水往低處流」，大家都要往「高處」走，也就勢必要「爭」。老子認為人的行為如果能像水一樣，謙下自處，心胸如水一樣，納百川兼容並蓄，「夫唯不爭，故無尤」。像水的不爭，自然不會招來怨尤，對待人生的一切，也才能沒有內心憂慮及外界的憂難。

孔子也教我們如何處理好人際關係，人都不是完美的，犯錯自是難免，人非聖賢，孰能無過，孔子教人「躬自厚而薄責於人，則遠怨矣！」，對自己過失的審視，反躬自問需嚴以律己，有功時不將功勞攬到自己身上，有過錯時不把過錯推得一乾二淨，不遷怒諉過於人；對於別人過失的衡量，責備時寬厚存心，即寬以待人，這樣的處世修身之道，才是遠離怨恨最好的方法，則人際關係和諧。人能反己，四通八達皆坦途，若常以責人為心，則人際關係緊張，舉足皆荊棘。

張潮《幽夢影》說：「律己要帶秋氣，處世宜帶春氣。」其意在說對待自己應該要像秋天蕭瑟的氣氛嚴加要求自己，自我約束；待人處世則要像春天給人溫和的感覺，讓人如沐春風，萬物包容而滋長。「求諸己，謂之厚，求諸人，謂之薄」，凡事責求自己，就是寬厚，就是與人為善，朋友也就越多，寬容他人就是善待自己，也是修養與人格魅力的體現，凡事責求於別人，就是苛薄小氣，心胸狹窄，凡事斤斤計較，俗云：「量大，福也大，機深，禍亦深。」心有多寬，路就有多寬，心機深，會算計的人，易招來大禍。

英國劇作家勃郎寧（Robert Browning）曾說能寬恕別人是件好事，但如果能將別人的錯誤忘得一乾二淨，那就更好。管仲和鮑叔牙的故事大家樂於稱道，用「管鮑之交」來比喻交情深厚的朋友，鮑叔牙幫助世子小白（後來的齊桓公），管仲幫助公子糾，二人各為其主，管仲射公子小白一箭之事，齊桓公本要報管仲的「一箭之仇」，但鮑叔牙適時推薦管仲給齊桓公，管仲侃侃而談治國方針，齊桓公重用為相，並尊稱管仲為「仲父」，不犯宰相名諱，成就了「一匡天下，九合諸侯」的霸業。成語「一諾千金」的歷史主角季布，本是項羽部下，屢敗劉邦，劉邦當皇帝後，下令懸賞捉拿季布，夏侯嬰力勸劉邦不要記住過去的仇恨，應重用人才，劉邦從善如流，赦免季布並委以邊防重任。不記掛過去的仇恨，寬恕了別人，別人對他的怨恨也就少了，「不念舊惡，怨是用希」。上述歷史經驗都告訴我們不念舊惡是成功者的典範，也是一種睿智的待人方式。

為人處事的道理說得那樣多，可以終身照此目標去做的，孔子告訴我們的就是恕道，「有一言可以終身行之者乎？」，子曰：「其恕乎！己所不欲，勿施於人。」德國哲學家歌德說：「察覺別人的錯誤並不難，察覺自己的錯誤卻是困難的。」孔子說：「攻其惡，無攻人之惡，非修慝與？」能夠深切自省，不批評別人缺點，做起來真的很難。因為很難做到，所以做得到才叫修養。俄國大文豪屠格涅夫說：「不會寬容別人的人，是不配受到別人的寬容的。」安德魯・馬修斯在《寬容之心》一書中有言：「一隻腳踩扁了紫羅蘭，它卻將香味留在腳跟上，這就是寬恕。」我們要學習彌勒佛菩薩「大肚能容，了卻人間多少事；滿腔歡喜，笑開天地古今愁」的自在胸襟，將包容、歡喜散布人間。

原文刊載於二〇一六年五月二日《臺灣時報》

# 從大學校長販賣學位談起

某私立科技大學黃姓校長夫婦涉嫌販售哥斯大黎加共和國的偽造碩博士學位證書，並假造國外期刊論文販售，供校內教師升等使用，獲利豐富，夫婦二人出入均以名車代步，已遭檢方羈押禁見，身陷囹圄，大學校長販賣假學歷，令人震驚，杏壇也因而蒙羞。

求富求貴乃是人之常情，孔子對富貴的追求也不表示反對，「欲貴者，人之同心也」，這是人努力向上進取之應得，不必以罪惡看之。然而孔子也強調「富與貴，人之所欲也，不以其道得之，不處也」，如果追求的方法不是依正道而行，而是違反原則且不正當的謀求，那就產生重大的瑕疵及可能違法，那就不可以接受。而貧窮困頓是大家所恐懼及討厭的，「貧與賤，是人之所惡也，不以其道得之，不去也」，貧賤雖是痛苦，可是要用正規的方法慢慢脫離貧賤，不應該走歪路，才能安心自處。《論語》中孔子說：「不義而富且貴，於我如浮雲。」

《聖經》中也說：「用詭詐之舌求財的，就是自己取死，所得之財，乃是吹來吹去的浮雲。」富貴安逸人之嚮往，不管東西方，都把不合理、非法、不擇手段的方式而取得的富與貴，視為可恥的事，等同於天上的浮雲。

學校以作育英才為職志，教導學生努力學習，修畢學分數始授予學位，如今居上位握有權力者，卻基於私利，為獲取財富而販售學位，這種唯利是圖的結果，所做所為喪失了做人的準則，「放於利而行，多怨」，欲利於己，必害於人，而招致許多怨懟。頂不住眼前的誘惑，終將失掉未來的幸福，靠不當的行徑獲得的財富，將永遠帶著不名譽的烙印。近年來社會風氣功利主義盛行，要人們不去追求利欲，實有很大的困難度，唯應取之有道，要在意德業的增進，不能違背禮法，免得喪德辱身，「懷德懷刑」「懷土懷惠」應知所選擇，勿一心想到有沒有利可圖，畢竟自己的品德修養是永存的，而富貴不一定能永久保存，好景不常在啊！

士大夫之無恥，是謂國恥。孔子最在意讀書人立身行事要有羞恥觀念，「行己有恥」，孟子也認為「人不可以無恥，無恥之恥，無恥矣！」」，人不可以無羞恥之心，如果能把無恥視為可恥的事，就能終身遠離恥辱。在人文薈萃的學術殿堂，獲有博士學位，天資聰慧自不在話下，但卻賣弄機心，變詐取巧，不廉潔而悖禮犯義甚至於違法，因為不知廉潔，就什麼東西都想要，不知羞恥，就沒有什麼壞事不敢做，人而如此，則禍敗亂亡，無所不至，追根究柢都是沒有羞恥心。天命靡常，夫人必自侮，然後人侮之，禍福無不自己求之者，人自為禍，終將自害而不可救，平日令聞廣譽集於身，名車代步，奢靡誇人，但是外表的光鮮亮麗是假的，內在的美麗才是真實且永恆的，否則金玉其外，敗絮其中也。

姚崇是唐朝開元盛世，立下汗馬功勞、匡救時弊的名相，與房玄齡、杜如晦、宋璟號稱唐朝四大名相，他雖握有重權，卻清正廉潔，在歷史上富裕的年代，卻窮得在京城買不起房子，只住離朝堂很遠的郊外，甚至處理政務過晚，只能借住附近的寺院，他在其〈冰壺誡〉就提到「與其濁富，寧比清貧」，意思就是說寧可貧窮快樂度日，也不為虛名富貴憂愁。張潮《幽夢影》也說：「富貴而勞悴，不若安閒之貧賤。」一如果富有尊貴卻憂勞憔悴，倒不如貧賤而自在無憂。「飯疏食，飲水，曲肱而枕之，樂亦在其中矣」，唯有心安理得，才是獲得快樂的泉源，不受外界物質環境的誘惑及對財富的貪婪欲求，在艱苦的生活環境中以苦為樂，在今天仍有其不可低估的價值。

蘇軾的〈赤壁賦〉有言：「且夫天地之間，物各有主，苟非吾之所有，雖一毫而莫取……。」這是蘇軾深懂人生萬物興變之理後的自適之道，其實就是寡欲，也就是去除奢欲；孟子說：「養心莫善於寡欲。」馬克吐溫說：「狂熱的欲望，會使人做出危險的行動與荒謬的事情，因多欲而深陷物欲的淵藪中無法自拔。」若自種禍因，私心充塞，道德淪喪，終將是落入「出乎爾者，反乎爾者」的因果循環，自食惡果，為富而無德以侈自敗者的歷史經驗多增添一例事證。

原文刊載於二〇一六年五月十八日《蘋果網路論壇》

# 無欲則剛

「無欲則剛」語出《論語》，清末兩廣總督林則徐至廣東查禁鴉片時，也曾手書自勉對聯「壁立千仞，無欲則剛」，上聯為「海納百川，有容乃大」，寓意是峭壁之所以能直立千丈，是因它沒有過分的欲望，不向其他地方傾斜，人如做到心中沒有貪念，則氣質自然剛直，也才能做到大義凜然的境界。

「名利本為浮世重，世間能有幾人拋」，司馬遷在《史記》中寫道：「天下熙熙，皆為利來；天下攘攘，皆為利往。」雖是賢者，亦在所難免，當今社會，大家都為名利奔忙，南懷瑾大師說名利是世界上最嚴重的，世界上能有幾人拋去不顧呢？功名富貴其實很迷人，說不喜歡者其實又有些矯情了。「少則得，多則惑」，當自己什麼都不是時，老闆多給個幾千元，我們就被這些錢綁架一生，平凡度日還算容易；但如果功成名就時，面對更高更多的名利，還要自己不動心，其實有一定的困難及挑戰。也許有人會說，人類如果沒有名利的欲望，世界豈不沉寂得了無生氣嗎？在人性道德上，人希望符合聖賢的標準，能做到無欲無私，而在世間的考驗上，自己卻難免在私欲的纏繞中打轉。很難論定是與非、好與壞，全在於人自身的選擇。

孔子曾感嘆，自己沒有見過真正剛直不屈的人，而有人說申棖就是，孔子說，申棖慾望太多，遇到事物就貪愛不捨，想要變成自己的，怎麼能算是剛強的人呢（棖也慾，焉得剛）？孔子認為剛是一種克制自己私欲的功夫，能夠約束自己，無論在任何環境都能不違背天理，做每件事都能合乎禮，克己復禮為仁，行仁由己，那才是真正的剛強，人不能克制私欲，則將為私欲所制，真正的剛者，沒有私欲才能「富貴不能淫，貧賤不能移，威武不能屈」。

孔子的學生中，子路算是剛毅無欲的類型，怎麼說呢？孔子說：「衣敝縕袍，與衣狐貉者立，而不恥者，其由也與！」子路不愛虛榮，對他人的富貴奢華，不起嫉妒陷害之心，他胸懷灑脫，個性豪邁，說話直爽，穿著舊棉絮做的袍子，跟穿著狐貉皮袍、名牌服飾的人站在一起，一點也不會感到自卑，絲毫不覺得不如別人，這種氣度不容易養成，子路為什麼能夠做到？孔子引用《詩經．衛風》的一句話來形容：「不忮不求，何用不臧？」因為他不嫉妒，也不貪求非分之名利，他把功名富貴看得很平淡，這種人怎麼會做出不好的事情呢？孟子其實也不喜歡人們將財富、地位與聲望炫耀於人，「說大人則藐之，勿視其巍巍然」「吾何畏彼哉！」，他見到有權勢的人，也看得很平凡、平淡、平靜，因為對他們無所求嘛！

「人之情，食欲有芻豢，衣欲有文繡，行欲有輿馬，又欲夫餘財蓄積之富也，然而窮年累世不知足，是人之情也」，一般人吃東西希望美味佳肴，穿衣服希望綾羅綢緞，出門希望有名車代步，此外還想要有大量的財富蓄積，長年累月，人容易養成不知足的激情，也就永遠不可能得到滿足，乃人之常情。因此荀子強調，「欲雖不可盡，可以近盡也，欲雖不可去，但可以節也」，欲望是個無底洞，沒有盡頭，但卻可近於滿足，欲望雖然不可去掉，但對欲望的追求卻可以有節制，這就是荀子主張的「人生而有欲，欲而不得，則不能無求」。合理的欲望是自然的，但也不能放縱，對於過度貪得無厭的窮奢極欲，應該要適可而止，適當約束節制，方不致鬼迷心竅，造成禍患。傲不可長，欲不可縱，志不可滿，樂不可極是守約之道，就是孔子說的「以約失之者，鮮矣！」，老子也認為人要「去甚，去奢，去泰」，就是要去除過分的、奢侈的東西，萬事適可而止，不要做得太過分。

其實儒道二家，並沒有叫人做到無欲，老子認為絕對無欲是不可能做到的，假使做到了就超凡入聖了，老子主張「見素抱樸，少私寡欲」，意思是說做人要懷抱天然的樸素，以此態度待人接物，平常做事，老老實實，替自己想時也能替別人想，做到清心寡欲就很了不起。孟子也主張寡欲，他說，「養心莫善於寡欲」。哲學家斯賓諾莎說，人類最不能做到的莫過於節制他們的欲望，所以寡欲實際上是指節欲而言。俗云天大地大，人心最大，因為欲壑難填，人心都是裝不滿的，自古以來貪得無厭不知葬送多少人的一生。老子說：「咎莫大於欲得，禍莫大於不知足，故知足之足，常足矣！」人類最大的罪惡莫過於想佔有、貪得無厭，禍患之大莫過於欲望不會滿足，所以知道滿足的人，才能得到滿足，也就是我們常說的知足常樂。魏徵以「見可欲，則知足以自戒」來修煉自己的德性，以抵擋滾滾而來的物欲誘惑。

知足也是有所為有所不為，不為五斗米折腰的陶淵明就不汲汲於富貴，選擇過著採菊東籬下，悠然見南山，樂天知命的田園生活，有所不為就是「知止」，就是適可而止，也是恰到好處，能知止的人才不會有危險，所以老子說：「知止不殆。」法國哲學家雨果說知道在適當的時候，自動管制自己的人，就是聰明人，這句話其實就是告訴我們人生要學會見好就收，該放手就放手，不可貪得無厭，知足的人比較沒有煩惱，心靈可以豁達地看待一切生活，但是知足不是沒有追求，而是專心致力，一步一腳印踏實地耕耘，盡力做好當下的每一件事，凡事「務本而道生」，把本務做好，根基打穩，一味「呷碗內，看碗外」，那就是貪婪了。

寫完一段完整的文章用句點當標點符號，句點是個小圓圈，象徵一個圓滿的結束，知止的人比較會有圓滿的人生，貧與貪這二個字，一點之差，差之毫釐，失之千里，人的一念之差，貪欲可使人變為貧，可不慎乎！

原文刊載於二〇一六年五月三十日《臺灣時報》

# 有錢人留什麼給子孫

報載某集團小開涉嫌吸毒被逮，近幾個月來，富二代染吸毒惡習上新聞版面時有所見，顯見毒品危害愈來愈猖獗。清末林則徐於廣東強迫外國鴉片商人交出鴉片，並在虎門銷毀，成為英國入侵中國的藉口，引發鴉片戰爭，也是打擊毒品的歷史事件。從林則徐打擊毒品戰爭至今已逾百又七十七年，但據調查顯示，臺灣地區首次吸食毒品的平均年齡逐年在降低中，這是社會潛藏的危機。

林則徐家祠堂有一副對聯「子孫若如我，留錢做什麼？賢而多財，則損其志；子孫不如我，留錢做什麼？愚而多財，益增其過」，偉哉斯言，多麼發人深省又饒富教育意義的話。子孫如果像他一樣卓越優異，那麼就沒有必要留錢給子孫，賢能卻擁有過多的錢財，會消磨子孫的鬥志；子孫如果是泛泛平庸之輩，那麼他也沒有必要留錢給子孫，愚鈍卻擁有過多財富，會讓子孫享受現成的財富，好逸惡勞，生活易流於驕奢，揮霍無度，留的財富愈多，愈是增加其過錯，難保子孫不在金錢中腐化墮落，以致發生子女爭產或耗盡祖產之憾事。

林則徐的父親也曾留給他一幅聯「粗衣淡飯好些茶，這個福老夫享了；齊家治國平天下，此等事兒曹任之」，這幅聯使林則徐終身受用，他的父親享受儉樸的生活，不以兒子官大而奢華過日，以儉修身養德，也讓林則徐無後顧之憂地為打擊毒品而戰，這就是家教的影響。林則徐是一位偉大的愛國主義者，是世界反毒運動的先驅，只要對國家有利，他就將生死置之度外，不因反毒是禍就躲避，是福就爭取，「苟利國家生死以，豈因禍福避趨之」，林則徐後來仍因反毒而被革職流放新疆伊犁，但是他父親給他的家教，讓他表現出高尚品德和忠誠無私、兢兢業業的人生態度與愛國情操。

北宋名臣司馬光砸缸救小朋友的故事，大家耳熟能詳，除了創作了《資治通鑑》影響後世深遠外，為人穩重踏實且生活儉樸，更將儉樸做為教育子孫的主要內容。並寫下〈訓儉示康〉的家訓文，強調「由儉入奢易，由奢入儉難」，藉此文期勉其子司馬康要實踐節儉的美德，不要奢靡為榮。司馬光也留給他的子孫一段很重要的告誡家訓，他說：「積金以遺子孫，子孫未必能守，積書以遺子孫，子孫未必能讀，不如積陰德於冥冥之中，以為子孫百年長久之計。」司馬光強調只有真正施捨付出，行善積德，子孫才能受到庇蔭，也唯有如此才能長久造福子孫。司馬光教子有方，兒子司馬康也因父親從小的身教、言教所影響，深懂儉樸的重要性，始終把父親的家訓，用來惕厲自己，以此自律，為人廉潔和生活儉樸而稱譽於世。《易經》也說：「積善之家，必有餘慶；積不善之家，必有餘殃。」一個行善的家族，它必定有餘福，這個餘福能夠庇蔭子孫；如果造了很多惡事，那這個家族，不可能長久，子孫必定遭殃。

東漢的名臣楊震，有人半夜送他一大把黃金，楊震不肯收，送禮的人告訴他儘管收下，深夜裡絕對沒有人知道，楊震對他說：「天知，地知，你知，我知。」怎麼說沒人知道呢？這就是「幕夜拒金」的典故，楊震也被譽為「四知先生」被後人廣為傳頌，他為官生活簡樸，廉潔奉公，他的子孫與平常老百姓一樣，素菜粗食，徒步當車，親朋好友勸他趁大權在握，為子孫多置家產，楊震笑曰：「傳子以金，不如傳子以德，人遺子孫以錢財，吾遺子孫以清白吏美德，這份遺產，豐厚之至。」楊震把自己的精神財富傳給子孫後代，他的子孫繼承其正直品行、剛直清廉、安貧樂道的祖訓家風，影響楊氏後裔，對後世產生深遠的影響，這才是留給子孫彌足珍貴的遺產。

富二代「飆名車」、「吸毒」已不是新聞，俗云：「三代粒積，一代傾空。」這話與「富不過三代」的意思相近，雖然現實生活中也有很多富過三代的例子，但「富不過三代」著實而言也是普遍現象，從人性角度而言，也是有一定道理，第一代是創業維艱，艱苦奮鬥，得富不易，第二代是看到父輩的奮鬥，不敢稍怠，至少守成，第三代則是不知苦為何物，開始享受，難保不一代傾空。古代的家訓包含了很多立身處世的智慧，而且都是質樸、真實而實用，古入且能為之，今人當如何？近幾年來，風俗頹廢，講排場，奢靡闊氣，家庭教育是我國文化的優良傳統，提倡並重視家庭教育，此其時矣！以身示誡，立之以規，喻之以理，教之以嚴，或可破除「富不過三代」的咒語。

原文刊載於二〇一六年六月二十日《蘋果網路論壇》

# 這樣做能多賺多少錢

中國人很早就開始養豬，由文字結構來看，家字是屋頂（「宀」）下面一口豬（「豕」），即是家中養著一隻豬，寓意著有豬便有家；祭拜文化中，豬也是祭天地拜鬼神的厚禮，但豬何時變成「經濟動物」則不可考。民國五十年代，飼料價格便宜，大部分又以廚餘剩肴餵飼，養豬可以說是當時農村主要也是最好的副業。

我的童年住在偏僻農村，左鄰右舍平時農務繁忙，各忙各的農事，閒暇時「鄰曲時時來，但道桑麻長」，生活愜意自在。然而現實問題是農家的收入，靠天吃飯，收成的回報與所付出的勞力並不相當，勉強糊口而已，要有額外收入需靠副業。有回鄰居來我家與阿公高談闊論養豬的經驗，直覺告訴我，為了改善生活，阿公會在屋旁空地興建豬舍養豬。不多久，豬舍趕工興建完成，阿公購入小豬供伯母飼養，按三餐以餿水混加煮熟的蕃薯葉及蕃薯條來餵食，小豬生活在沒有陽光及窄小的豬欄裡，一生就生活在自己的糞尿上。

小豬半年後已被養成大肥豬，豬販與阿公談妥價格，給付定金，並言明抓豬日期（通常一週為限）。雙方本於誠信原則，口頭承諾，合約即算完成，沒聽說發生任何糾紛，與今日社會恐空口無憑、立書為證，但紛爭仍時有所聞，不可同日而語。這段時間是豬隻最幸福的日子，因為伯母會午夜起來再多餵食豬隻一頓，以增加斤兩，豬販當然也知道鄉村婦女有午夜起來餵食的習慣，只是心照不宣，會在清晨到豬舍巡邏，通常以預先準備的木棍，把飽食一頓宵夜熟睡中的豬隻打醒，不停以木棍拍打豬隻，讓豬在豬欄裡跑來跑去，直至糞尿全出才停止，豬販稍事休息，天尚未破曉，豬販再來敲門表明要抓豬。豬販用熟練的技巧，很快把豬隻捆綁，扛出豬欄外秤重，那時農家子弟個個「既耕亦已種，時還讀我書」，待做完農事再讀書，我的算術很好，阿公會叫我起床，準備紙筆記下每隻豬隻重量，加總後算出總金額，豬販再用算盤核算無誤後，當場支付現金，迅速把豬隻送上運豬車，送往屠宰場。

送別豬隻，阿公喜形於色地點著現鈔，半年來的辛苦終有收穫，這就是農家副業的收入，也是農家子弟教育費的重要來源。阿公也許心疼伯母最後一星期半夜起來餵食，犧牲睡眠的劬勞，以不捨的口吻告訴伯母，「這樣做能多賺多少錢？」，且為了增加豬隻斤兩，半夜起來偷餵食豬隻是貪小便宜的行為。貪小便宜也許是人的天性，算不上什麼大惡，但在阿公心裡也許認為勿以惡小而為之，只要是錯誤的，就絕對不要做。阿公不喜與人斤斤計較，在世故人情上，互惠共利，「這樣做能多賺多少錢？」不佔小便宜、誠信的生活哲學，用言教及身教影響下一代，影響兒孫們日後的生活處事態度，是最好的榜樣。老子說「金玉滿堂，莫之能守」，財富難守，留德才能福澤後代，感念阿公的德性庇護著我們後代的子孫！

近幾年，道德衰微，臺灣食安問題連環爆，業者把誠信道德放兩邊，利益擺中間，貪圖眼前利益而為富不仁，當不誠信的行為東窗事發，輿論撻伐，民眾怒罵，企業形象崩盤，可謂貪小失大而得不償失啊！

刊載於二〇一六年七月二十九日《聯合報》

（原文有被刪減，剪報如附）

中華民國一〇五年七月二十九日 星期五 聯合報 民意論壇 A18

# 別貪小失大 卻賠了誠信

楊俊毓／高雄醫學大學副校長（高雄市）

中國人很早就開始養豬，由文字結構來看，「家」字是屋頂下面一隻「豕」，即是家中養著一隻豬，寓意著有豬便有家。民國五〇年代，飼料價格便宜，又以廚餘剩肴餵飼，養豬可說是農村主要也是最好的副業。

我的童年住在偏僻農村，左鄰右舍平時農務繁忙，然靠天吃飯，收成的回報與付出的勞力並不相當，勉強餬口而已，要有額外收入需靠副業。有回鄰居與阿公高談闊論養豬經驗，爲了改善生活，阿公在屋旁空地興建豬舍。

小豬半年後被養成大肥豬，豬販與阿公談妥價格，給付定金，並言明抓豬日期（通常一周爲限）。雙方本於誠信原則，口頭承諾，合約即算完成，沒聽說發生糾紛，與今日社會不可同日而語。

這段時間伯母會午夜起來再多餵食豬隻一頓，以增加斤兩。豬販當然也知道，會不停拍打讓豬跑來跑去，直至糞尿全出才停止。

豬販來敲門抓豬。我的算術很好，阿公會叫我起床，準備紙筆記下每隻豬隻重量，加總後算出總金額，豬販核算無誤後，當場付現。這就是農家副業的收入，也是農家子弟教育費的重要來源。

阿公心疼伯母最後一星期半夜起來餵食，犧牲睡眠，以不捨的口吻告訴伯母，「這樣做能多賺多少錢？」阿公也許認爲勿以惡小而爲之。

阿公不喜與人斤斤計較，在世故人情上，互惠共利，不占小便宜、誠信的生活哲學，用言教及身教影響兒孫的生活處事態度，是最好的榜樣。老子說「金玉滿堂，莫之能守」，財富難守，留德才能福澤後代，感念阿公的德性庇護著我們後代的子孫。

近幾年，台灣道德衰微，食安問題連環爆，業者誠信道德放兩邊，貪圖眼前利益，可謂貪小失大得不償失啊！

# 說話是難事

說話是人的本能，但要說得恰當並不容易，明朝呂坤〈呻吟語〉嘗言：「人生唯有說話是第一難事。」諾貝爾文學獎得主莫言解釋筆名的緣由之一是因自己說話直率，這在中國並不是好事，自己經常亂說話，給父母親帶來很多麻煩，所以自己取名莫言，就是希望提醒自己別多話。小至個人家庭，大至社會國家，話說得好，「一言而可以興邦」，三寸不爛之舌可以勝過百萬雄師，話說得不好，「一言而喪邦」，可見關鍵時刻一句話甚至於關係到國家的興盛或敗亡。

政治人物最常被提及的，往往是因說錯一句話而被人們永遠記得，經常被拿來做比喻的就是晉惠帝，因不知民間疾苦，天下發生饑荒，大臣向他報告許多百姓餓死，他反問說百姓無粟米充飢，為何不用碎肉煮粥來吃呢？這句「何不食肉糜？」讓他成為千古以來大家對政治不滿，批評領導人昏庸無能的代名詞，晉惠帝可謂一失言成千古恨。孔子教導學生說話要謹慎小心，「言未及之而言，謂之躁；言及之而不言，謂之隱；未見顏色而言，謂之瞽」，為了表現自己，不該說話而搶著說話，叫做急躁；該他說話，又忸忸怩怩不講，隱言於心；不觀察對方的臉色而輕率發言，就是盲目沒長眼睛。在語言交際中要找到一種分寸，注意說話的適當時機及內容態度，站在對方能理解的立場來思考，「時然後言，人不厭其言」，恰到好處，恰如其分，使之既直爽自然，不失禮，人家聽了，不討厭他的話，這是最難也是最好的。

上天給我們兩個耳朵兩個眼睛，但只給我們一隻嘴巴，就是要讓我們多見多聞而少言語，「言必有中」，一旦開口說話後是否能把握重點，而不是滔滔不絕，喋喋不休，多言而噪，卻全是廢話。孔子讚美他的學生閔子騫「誾誾如也」，說話態度溫和，謙虛有禮貌，有條理且從容不迫。孔子認為「禦人以口給，屢憎於人」，靠巧辯及銳利口才對付別人的人，常惹人討厭；同時孔子也討厭巧言令色之人，「巧言無實，令色無質」；「巧言，令色，足恭，左丘明恥之，丘亦恥之」，故意說好聽的話諂媚別人，裝出和善的臉色奉承別人，用過分謙恭的態度來討好別人；滿臉堆笑、點頭哈腰，營造假象，左丘明認為可恥，孔子也認為可恥；拿破崙曾說懂得如何奉承的人，一定也懂得如何毀謗。英國邱吉爾也說吹捧奉承我的人，對我的危險也往往最大。老子有言：「信言不美，美言不信。」好話聽起來都不好聽，而好聽的話卻都是不可靠的。

孔子主張謹言慎行、三思而後行，因而說：「古者言之不出，恥躬之不逮也。」以前的人不肯輕易說出口，不敢說空話，不大言不慚，因為怕自己的行為做不到而成為一件可恥的事，所以注重實踐的功夫，說話不但謹慎，做起事來卻勤快敏捷，不光說不做。臺灣俗諺說：「膨風水蛙割無肉。」「揚言者寡信」，估量自己的能力，審時度勢，看自己能不能做到，否則「其言之不怍，則為之也難」！實踐起來很困難，難以成事。一般人的通病往往是先發議論，把實際的行動擺在言論的後面，說話容易，但說到做到並不容易，務實苦幹的人往往是不高談闊論，往往是默不作聲的；「敏於事，而慎於言」，一切該做的事馬上做，不會先吹牛而不做，「Just do it」，先做，做好了，大家都會順從他，「先行其言，而後從之」，一個人要言而有信，孔子認為「君子恥其言而過其行」，把話講得超過自己的表現，就是浮誇不實，言過其行，應引以為恥；蘇格拉底說，一切都靠一張嘴而絲毫不實幹的人是虛偽和假仁假義的，英國有句諺語也說，光說不做的人，像蘆葦一樣靠不住。

南懷瑾大師說：「耍嘴皮子是最可怕的，會講話的人，常犯一個毛病，喜歡用嘴巴得罪別人或刻薄別人，有時言語給人的傷害，比殺人一刀還痛苦。」舌頭柔軟無骨，但言語如劍，可以砍碎人骨，有時我們因逞口舌之能，禍從口出而使別人困窘沒臺階下，就會樹立敵人埋下仇恨的種子，「君子欲納於言，而敏於行」，具有影響力人，說話能獎賞善事，也能懲罰罪過，主宰榮辱，說話要掌握適當的分寸，凡事考慮以後再說，避免言多不當，造成無法挽回的後果，後悔莫及，「出言不當，反自傷也」，修道的人如果言語不當就會失德造業，所以重視修口，臺灣諺語說：「心歹無人知，嘴歹上厲害。」給人臺階下就是給自己留條後路，人情留一線，日後好見面。

證嚴法師說：「一輩子的大事是好好說話。」「心地再好，嘴巴不好，也不能算是好人」，善於言辭並非壞事，在現代社會立足也是必要的，但必須注意有節度，否則就容易言多必失，因言賈禍，惹人生厭。說話是難事，但無論怎樣，多讀書，少說話，充實自我最重要，吳從先〈小窗自記〉嘗言：「讀得一句書，說得一句話。」話當然還是要說的，但意思是說先讀書，再說話，這樣才不會說錯話。說話可以是人與人間溝通的橋樑，但也可能在人與人間築起高牆，初入社

# 會的新鮮人在職場與人相處可不慎乎？

原文刊載於二〇一六年八月一日《臺灣時報》

# 不要讓人才過勞死——用其一緩其二的管理思維

春嬌是學校某處的組員，待字閨中，某日我有棘手公事很晚下班，往停車場的路途中，巧遇她也才要下班，我好奇問她，怎麼這麼晚才下班，是否還有同事在加班，她回答說她是最後一個離開的，我這樣問的目的是想瞭解她的單位是否有人力不足的問題。

後來瞭解，春嬌很受主管的賞識，因為她能夠依照主管的指示有效率地行動，幫助主管想出最佳的解決方案，獨立完成任務，而且有能力幫主管革新業務，兼具管理學大師彼得杜拉克所言效率（efficiency）及效能（effectiveness），除了把「把事情做對」（do the thing right），而且「做正確的事情」（do the right thing），用人力資源管理的詞彙來講，春嬌具有良好的「職能」（competency）。

一個主管管理能力的優劣展現在人事決策上，有的主管發現屬下之中有個人才，而且又信得過，她除了份內的事該做外，主管其他困難的事也都理所當然找她去做，不會找別人分擔。一個部門如果過度依賴像春嬌這樣的人，當有一天志明把春嬌娶回去，或者春嬌辭職另有他就後，這個單位會「頓失所依」，可能造成組織無法正常運作，並可能造成嚴重影響，就像備受劉備倚重的諸葛亮，在諸葛亮鞠躬盡瘁以後，只有使蜀政權加速滅亡；從另一個角度來看，諸葛亮的職能再怎麼強，也不可能將所有的事情都自己做，畢竟時間有限，與其說諸葛亮是病死的，不如說他是「過勞死」。一個好的主管除了重用自己信得過的部屬，也要扮演伯樂的角色，發掘組織中的千里馬，不要讓人才埋沒，要讓每個部屬適才適所，放對地方，集中精力做好自己份內的事，他們自然樂在工作，對工作產生熱情，組織效率自然提升。

孟子說：「有布縷之征，粟米之征，力役之征。君子用其一，緩其二；用其二而民有殍，用其三而父子離。」布縷、粟米、力役之征是春秋戰國時的三種稅收，簡單說就是徵布、徵米糧及徵給國家做事的民力。君子治國，只徵用其中的一種，而緩用其他兩種；征徭役的時候，就減輕人民的稅捐，徵稅時（布，糧）就暫緩傜役之徵，使人民休養生息從事生產，如果同時徵二項稅，百姓就會有人餓死，三項都徵，那就會父子離散，社會動蕩不安了。身為主管，對於組織中人力的運用也應該有「用其一緩其二」的管理思維，要求每個人先負責自己份內的事，做好分工，不要把很多業務同時要一個人做，那是病態的組織管理方式。否則有能力的人，超時工作，不但影響健康也影響家庭生活，過勞折損英才，且因受主管賞識，易遭人嫉妒，將影響其人際關係，惡性循環的結果，有能力的人自會轉換跑道，組織得重新覓才並重新訓練新人，造成組織不穩定。作主管的人，對職能強的部屬，切忌不可一己之私，否則愛之適足以害之，豈可不慎。

近年來，高教圈跨領域學習喊得滿天響，其實一般的教師普遍未具備跨域能力，此時談跨領域學習有點紙上談兵。務實之道應該讓學生先把自己的專業領域知識學好，等消化融會貫通後，再依自己需求跨域學習，否則連自己的專業課程都沒學通，卻侈談跨域學習，實屬不切實際，學生恐怕也吃不消吧！最後有可能落個「畫虎不成反類犬」的結局。「用其一緩其二」的道理用在學習實務也是通的。

刊載於二〇一六年八月十一日《蘋果日報論壇》

（原文有被刪減，剪報如附）

A19 論壇 二〇一六年八月十一日 星期四 農曆丙申年七月初九日 蘋果日報

# 不要讓人才過勞死

楊俊毓／高雄醫學大學副校長

春嬌是學校某處的組員，很受主管的賞識，因為她兼具管理學大師彼得杜拉克所言效率（efficiency）及效能(effectiveness)，除了「把事情做對」，而且「做正確的事情」，用人力資源管理的詞彙來講，春嬌具有良好的「職能」(competency)。

## 應「用其一緩其二」

一個主管管理能力的優劣展現在人事決策上，一個部門如果過度依賴像春嬌這樣的人，除了分內的事該做外，主管其他困難的事也都理所當然的找她去做，不會找別人分擔，當有一天志明把春嬌娶回去，或者春嬌辭職另有他就後，這個單位會「頓失所依」，可能造成組織無法正常運作，並可能造成嚴重影響。

就像備受劉備倚重的諸葛亮，在諸葛亮鞠躬盡瘁以後，只有使蜀政權加速滅亡；從另一個角度來看，諸葛亮的職能再怎麼強，也不可能將所有的事情都自己做，畢竟時間有限，與其說諸葛亮是病死的，不如說他是「過勞死」。

一個好的主管除了重用自己信得過的部屬，也要扮演伯樂的角色，發掘組織中的千里馬，不要讓人才埋沒，要讓每個部屬適才適所，他們自然樂在工作，對工作產生熱情，組織效率自然提升。

孟子說：「有布縷之征，粟米之征，力役之征。君子用其一，緩其二；用其二而民有殍，用其三而父子離。」布縷、粟米、力役之征是春秋戰國時的三種稅收，君子治國，只徵用其中的一種，而緩用其他兩種；征徭役的時候，就減輕人民的稅捐，徵稅時(布，糧)就暫緩徭役之徵，使人民休養生息從事生產，如果同時徵二項稅，百姓就會有人餓死，三項都徵，那就會社會動盪不安了。

身為主管，對於組織中人力的運用也應該有「用其一緩其二」的管理思維，要求每個人先負責自己分內的事，做好分工，不要把很多業務同時要一個人做，那是病態的組織管理方式。否則有能力的人，超時工作，不但影響健康也影響家庭生活，過勞折損英才，且因受主管賞識，易遭人嫉妒，將影響其人際關係，惡性循環的結果，有能力的人自會轉換跑道，組織得重新覓才並重新訓練新人，造成組織不穩定。

## 跨域學習紙上談兵

近年來，高教圈跨領域學習喊得滿天響，其實一般的教師普遍未具備跨域能力，此時談跨領域學習有點紙上談兵。務實之道應該讓學生先把自己的專業領域知識學好，等消化融會貫通後，再依自己需求跨域學習，否則連自己的專業課程都沒學通，卻侈談跨域學習，實屬不切實際，學生恐怕也吃不消吧，最後有可能落個「畫虎不成反類犬」的結局。「用其一緩其二」的道理用在學習實務也是通的。

# 治大國若烹小鮮

春嬌是某處的行政人員，某日我飢腸轆轆托著疲憊不堪的步伐，往停車場的路途中，巧遇她也才要下班，她爽朗的笑聲很大方地跟我打招呼，我好奇問她，這麼晚下班，怎麼還是精神奕奕呢？

她說她的主管與行政人員時常溝通討論，建立對工作目標共識，他有使命感，以身作則，言必信，行必果，我們部屬都以為他做事感到驕傲，大家對工作都很有熱情，因此工作起來都不累。〈愛情的力量〉這首歌裡有一句歌詞這麼說「愛情的力量，小卒也會變英雄」，為什麼？道理很簡單，前面有個明確的目標，年少輕狂談戀愛追女朋友的時候，在女生宿舍門口站崗，站在那裡多久都不覺得累。孔子說：「爭魚者濡，逐獸者趨，非樂之也。」一個喜歡打魚的人，他不會怕把衣服弄濕，甚至不脫衣服也下水，為了追求這個魚嘛！喜歡打獵的人，拼命跑抓取獵物，獵物跑多快，他就跑多快，一點也不怕摔倒，原因也是目標明確啊！所以說善於領導的人，要把事情做成功，讓屬下發揮潛能而不覺得累，最重要的條件無非是擁有明確的目標，這也是管理學大師彼得杜拉克「目標管理」的精神。

新政府上任三個月，人民急切盼望國家擺脫困境，邁步向前，望治心切猶大旱之望雲霓，治國就像做菜一樣，不能操之過急，也不能鬆弛懈怠，油鹽醬醋要恰到好處，不能過頭，必須掌握火候，就如同在鼎鼐中調味一樣，要「調和鼎鼐」。老子說「治大國，若烹小鮮」，治國也像煎魚一樣，要煎到夠熟了，才能翻魚，不要一直翻攪，越常翻動，魚肉就越容易破碎，治國不要翻來覆去，否則民苦民散，「治大國而數變法，則民苦之」。以司法院正副院長提名史無前例撤回咨文為例，這麼重大的人事案，理應有完整機制充分討論後才提出。未成熟就提出，結果就爛了，「烹小鮮不可撓，撓則爛矣！」。社會人士發表意見很容易也不用負責任，但領導人不要隨意聽進是非，要靠自己的頭腦來判斷是非，如果領導人沒有判斷的話，是非就隨之而來了，大處不穩健，威信就受挫了，所以孟子說：「人之易其言也，無責耳矣。」

政治是很現實的，沒有實質又有效的政績，一切都是空談，只有政績才能治療一切。誠然，新政府才上任三個月，現在就要評估其施政績效有欠公允，但如果沒有讓人民有感的短期施政績效產出，滿足人民之所思所盼，民眾對新政府會失去耐性也會愈來愈失望，最近執政滿意度下滑當局應有體察。彼得杜拉克說：「重要的工作，必須設定完成日期。」這樣才能刺激達成目標的動力，冀望於新政府者能提出明確的（Specific）、可衡量的（Measurable）、可實現的（Attainable）的目標，並告訴民眾達成施政目標的具體計畫（Relevant）及達成的時間表（Time），唯有目標明確，才能發揮團隊的力量，才是SMART的團隊，這是新政府應有的自我挑戰。

老子說：「天下大事，必作於細。」治國是大事，偉大的成就，也是從小地方做起的，沒有累積很多小成就如何會有大成就呢？就像要把女朋友追到手，沒有任何一點小事是可以馬虎的，很小的事忽略了，有時常會釀成大事的，歐陽修說：「禍患常積於忽微。」領導人可不慎乎！

刊載於二〇一六年八月二十六日《聯合報民意論壇》

（原文有被刪減，剪報如附）

中華民國一〇五年八月二十六日　星期五　聯合報　民意論壇　A16

# 治大國若烹小鮮　豈可隨意翻攪

楊俊毓／高雄醫學大學副校長（高雄市）

春嬌是某處的行政人員，某日巧遇也要下班的她，爽朗大方地跟我打招呼，我好奇問她，這麼晚下班，怎麼還是精神奕奕呢？她說主管與部屬常溝通討論，建立對工作目標的共識，有使命感，言必信、行必果，部屬都以能爲他做事感到驕傲，對工作有熱情。

台語歌「愛情的力量」有一句歌詞「愛情的力量，小卒也會變英雄」，爲什麼？道理很簡單，前面有明確的目標。

年少輕狂談戀愛，在女宿門口站崗多久都不覺得累。孔子說「爭魚者濡，逐獸者趨，非樂之也」，一個喜歡打魚的人，他不會怕把衣服弄濕；喜歡打獵的人，獵物跑多快，他就跑多快，一點也不怕摔倒，原因也是目標明確啊！

善於領導的人，要把事情做成功，讓屬下發揮潛能而不覺得累，最重要的條件是擁有明確的目標，這也是管理學大師彼得杜拉克「目標管理」的精神。

政治是現實的，隨時要面對成果檢驗，沒實質又有效的政績，都是空談。誠然，新政府才上任三個月，現在就要評估其施政績效有欠公允，但如果沒有產出滿足人民所思所盼的績效，民眾會失去耐性，最近執政滿意度下滑，當局應有體察。

彼得杜拉克說「重要的工作，必須設定完成日期」，才能刺激達成目標的動力，冀望新政府能提出明確、可衡量、可實現的目標、達成施政目標的具體計畫及達成的時間表。唯有目標明確，才能發揮團隊的力量，才是SMART的團隊，這是新政府應有的自我挑戰。

人民急切盼望國家脫困邁步向前，處理國事就像做菜一樣，不能操之過急，也不能鬆弛懈怠，油鹽醬醋要恰到好處，不能過頭，必須掌握火候。

老子說「治大國，若烹小鮮」，治國也像煎魚一樣，要煎到夠熟了，才能翻魚，不要一直翻攪，否則魚肉就容易破碎；治國若常更改法令，則民苦而社會不易安定。以司法院正副院長提名史無前例撤回咨文爲例，這麼重大的人事案，理應有完整機制充分討論後才提出。領導人要察納雅言，言易行難，靠頭腦判斷，否則是非就隨之而來了，大處不穩健，威信就受挫了，所以孟子說「人之易其言也，無責耳矣」。說話之前要謹慎，以免馬上後悔。

老子說「天下大事，必作於細」，治國是大事，偉大的成就，也是從小地方做起的，就像要把心儀的女生追到手，沒有任何一點小事是可以馬虎的，很小的事忽略了，有時便因此鎩羽而歸，歐陽修說「禍患常積於忽微」，領導人可不慎乎！

# 尋找現代的范仲淹——遊岳陽樓有感

天涼好個秋！秋高氣爽、涼風徐徐的季節，正是「出走」的好時機，安排暢遊張家界，順訪嚮往已久的岳陽樓，體會登上此樓是否會有范仲淹〈岳陽樓記〉中「心曠神怡，寵辱皆忘，把酒臨風，其喜洋洋者矣」的感覺。

岳陽樓是三國東吳時魯肅所建之閱兵樓，因為詩仙李白的〈與夏十二登岳陽樓〉一首詩成就了大名鼎鼎的岳陽樓。這首詩具體展現汪洋浩瀚，橫無涯際的洞庭湖景觀及岳陽樓的高聳，也表達了秋風明月下李白的閒適曠達之情，當然，讓岳陽樓成為家戶喻曉的名樓，不能不歸功於范仲淹在岳陽樓重修後，受邀所撰的傳世名著〈岳陽樓記〉。

〈岳陽樓記〉成為傳世名篇，並非因為對岳陽樓風景的描述，而是范仲淹借文抒發「先天下之憂而憂，後天下之樂而樂」的情懷。簡單二句話，表現了古代知識份子的遠大抱負與崇高理想，也是范仲淹終生為國為民，實踐篤行的守則，真如杜甫說的「文章千古事，得失寸心知」。出將入相的范仲淹有個「不為良相，則為良醫」的名言，范仲淹未顯達時，有次跪在祠堂前求禱問卜，問：「日後是否可當宰相？」籤詞表明「不能」，古人總是將相與醫相提並論，范仲淹又問：「不能當宰相，可否做個良醫為民祛除病痛？」

作者夫婦同遊岳陽樓。

結果還是不行，籤詞說「還是當官保朝吧！」。治國安邦是讀書人一大理想，行醫同樣能福澤黎民，這兩樣都不能做，志向就無法實現了，於是他長嘆說：「夫不能利澤生民，非大丈夫之志也。」

古人總是將相與醫相提並論，正是因為醫藥的社會功能與治國平天下的思想比較接近。醫國與醫人道理相通，都是救人，「上醫醫國，其次醫人」，高明的醫生首先能治理國家，治療社會的病態，然後才是治療人的疾病，良相施行仁政治國平天下，良醫懸壺濟世利澤萬民。這就是「不為良相，則為良醫」的道理。

執政者要提出治國的主張並開出理想的藥方，讓社會經濟富庶安定；政策不對，方法錯誤，只有讓社會病態更嚴重，就像庸醫錯開處方會讓病人延誤病情一樣，最後只有誤國殃民，為國家人民帶來禍害，新政府執政團隊應更用心思，提出優質治國良方，民心自然歸向，國家自然泰平。

除此之外，范仲淹自奉甚儉，樂善好施，購買良田，供養周濟故鄉族人，稱為義田，這可算是歷史上個人辦理社會福利慈善事業的創舉，臺灣隨著人口結構快速老化，老人福利機構普遍設立，高齡社會長期健康照顧已然是政府重要課題，衛福部已宣布十一月起長照 2.0 試辦計畫上路，已規劃建構社區整體照顧服務體系，其中巷弄長照站提供最可接近性的短時數照顧服務及臨托服務，共餐或送餐服務。社會變遷，范仲淹之義行難尋，臺灣寺廟眾多，是村里民的信仰中心，自古以來即有形或無形兼做許多社會福利工作，政府應善用民間資源，輔導規劃成為巷弄長照據點之一，訓練村里民成為第一線的居家照顧先鋒，這是實在又溫馨的「在地老化」之體現。

范仲淹讚揚東漢嚴子陵高風亮節，寫下「雲山蒼蒼，江水泱泱。先生之風，山高水長」膾炙人口的名句。吾觀范仲淹之德行，是為讀書人的優良典範，「先生之風，山高水長」范仲淹受之無愧，哲人日已遠，典型在夙昔，遊岳陽樓，讓我們重新認識了范仲淹。

原文刊載於二〇一六年十一月九日《蘋果網路論壇》

# 吸引優秀人才來臺是政府的責任

報載一位擔任軟體工程師的德籍人士，來臺工作近二十年，已取得永久居留證，但其在臺出生子女，依現行法規只能拿「依親居留證」，影響其子女之工作資格。外籍人才留臺意願，除產業環境、待遇條件、福利制度，家人也是關鍵，政策的侷限，勢必將人才往外推。

人才是企業最重要的資產，支持企業成長所需，也是競爭對手難以複製的優勢。管理學大師彼得杜拉克更直言「經理人的素質與績效是企業唯一可以依賴的競爭優勢」，這個道理推論到國家的發展也是一樣的，人才是國家的根本，為政首在得人，「理國以得賢為本」，清朝名臣曾國藩嘗言：「中興以人才為本。」這是大家耳熟能詳的道理。處在國際競爭激烈的時代，各國無不以培育及延攬人才為首務，沒有優質人才的國家，將成為國家發展的限制條件，知識經濟的時代，更突顯了人才資源的重要。

在中國春秋戰國時期，各國諸侯為擴展政治勢力，圖強稱霸，無不想盡辦法廣徵天下賢才，這個時期的奇才異能之士，普遍來往於各國之間，出謀劃策，比歷史上任何時期有更多的機會推銷自己，一展抱負與長才，因此，「楚材晉用」可說是非常普遍的現象，那時各國的國君都意識到想要成就霸業必先從得到人才開始，「鄰國有賢才，敵國之憂也」，因此各國國君均以招徠人才為首務，深怕人才被鄰國優先提拔，就只能「望才興嘆」，《大學》一書即說：「見賢不能舉，舉而不能先，命也。」意思是說，見到好的人才，要趕快薦舉提拔，太遲了，就失去人才發揮才能的時機，這是為政治國之道，若不能任賢使能，那是國家的命運該如此，還能怪誰呢？

話說秦王嬴政未統一天下前，韓國人想出一個「疲秦計畫」，派水利工程師「鄭國」前往秦國獻策，說服秦王在關中地區修築水利工程（後稱鄭國渠）以耗費秦國的人力與物力，後來陰謀被識破，秦王政大怒，準備把非秦血緣的人才驅逐出境，楚國人李斯也在被驅逐名單之列，李斯在不安之餘上書秦王，他告訴秦王若只是想雄霸一方，將客卿趕走當然可以，但如果志在帝業，就應該廣納賢才。如今驅逐客卿，等於讓人才去幫助其他諸侯，強大自己敵人，更可怕的是被驅逐的人才必定對秦國有恨，這樣做，希望國家沒有危險，是不可能的啊！「今逐客以資敵國，損民以益讎，求國之無危不可得也」，這就是李斯說服秦王的一篇歷史名著〈諫逐客書〉，文中李斯也寫下了「泰山不讓土壤，故能成其大；江海不擇細流，故能就其深」的千古名句，期望秦王不要排斥人才，要把人才留在秦國為己用，正因為秦王聽從了李斯的諫言，最後才能統一天下。秦未統一天下前，所用的名相包括百里奚、蹇叔、商鞅、張儀等都不是秦國本土出生的人才，但秦國歷代諸王都做到了中庸治國平天下的九項大原則之一——「柔遠人，則四方歸之」，因此而能崛起邊陲，最後統一中國。

無獨有偶，美國二十世紀能成為世界的強國，靠的就是開放的移民政策，把世界各國第一流的留學人才，留為己用，促進美國的發展，使美國成為第一強國，傲視全球，這是現代版的「楚材晉用」成功的最佳案例。當然，不是外來的和尚就會念經，對於延攬的外籍人士，也必須有一套評估機制，如果是國家發展真正需要的人才，就必須獎勵任用，不要將人才往外推，政府的移民政策就要突破制度約束調整修正，這樣才能讓人才源源不絕為臺灣所用，設若能力不足，徒具虛名，也應多尊重並錄用自己所培育的本土人才，「送往迎來，嘉善而矜不能，所以柔遠人也」之立場也要守住。

全球化的時代，地球村將打破疆界壁壘，楚材晉用是大勢所趨，如何提出良好工作環境以吸引人才為（回）國服務，已成為政府要務，當然，政府也應有積極的人才培育計畫，如此雙管齊下，才能為國家的經濟發展開創更美好的明天。

原文刊載於二〇一六年十一月二十三日《蘋果網路論壇》

# 以民意為依歸是執政的法寶

據報載，民眾對蔡英文總統執政之不滿意度，已超過滿意度，已進入民調所謂的「死亡交叉」，與五月二十日風光上任的民調已不可同日而語，為確保決策效率，十月起蔡總統每週親自主持黨政協調會議，期挽回日益低靡的民調與聲望。

經濟發展為國家致富圖強的基礎，齊桓公善用能者管仲治齊，即是先由發展經濟著手，管仲提出「倉廩實而知禮節，衣食足而知榮辱」的以經濟為主導的政治方針，流通貨物，聚積國家財富，富國強兵，使齊桓公成為「一匡天下，九合諸侯」中國歷史上的第一個霸主，這說明了一個國家的治國之道，要有經濟繁華的社會，才是長治久安的基礎，才會有文明的昌盛與發展。司馬遷的《史記・貨殖列傳》也肯定工商經濟活動與發達的重要性，主張唯有百姓安居樂業，才有辦法建立富而崇德的高尚社會，因此太史公說：「禮生於有而廢於無。」意思是說禮產生於富有而荒廢於貧窮，人富則仁義附焉。

最近社會暴戾的抗議事件頻傳，除了議題之爭議性外，其實某種程度反應了孟子所說的：「富歲子弟多賴，凶歲子弟多暴，非天之降才爾殊也，其所陷溺其心者然也。」這意思是說長時期低經濟成長，年輕人長期低薪，社會苦寒，容易使社會走上暴戾憤恨之路，這並不是天生如此，而是受經濟壓力影響而形成的不同的作風。我國歷代歷朝，最後促使朝代衰敗的，必定是因為經濟崩潰使然，即便是民主體制的國家，政黨輪替，也都與當時的國家經濟財政有關，這是千古不易的法則，所以孔子答子貢問政，曰：「足食足兵，民信之矣。」執政者治國的優先順序不言自明，可不慎乎。

管理學大師彼得杜拉克說過：「管理是把事情做對，領導則是做對的事情。」什麼叫作做對的事情呢？其實就是「與人民同好惡」，要做到「民之所好好之，民之所惡惡之」；同時也要「令順民心」所發布之命令或政策都要順應民心，百姓希望的就給他們，百姓反對的就廢除它。《大學》一書更強調所制定的法令都要先從自己本身和家人開始體會設想，如果法令或政策使用在自己本身或自己的家人，都覺得無法忍受，而要求別人或人民來遵守，那是不合乎人情事理的，也是絕對行不通的，這就是《大學》一書所說的「治國在齊其家」的道理。

太史公評論管仲成功的主要原因在於其施政理念淺近，容易實行，「論卑而易行」，且能「與俗同好惡」。見賢而思齊，人民對於「治國平天下」的希望都寄託在執政者身上，執政者須要有隨時反觀自省的警覺，否則國政衰敗，會弄得民心愁苦，民怨沸騰，執政者不可以不慎啊！

為政在人，在於領導為政的人的智慧，有智慧的領導人，任何環境都不會為現實所困，國家大事就是要靠領導人的見地與高瞻遠矚的眼光來處理解決，「世事正須高著眼」。其實，人民對政治是很敏感的，就像植物與樹木對水土地質也是很敏感一樣，領導人要知道，政治就像生活在水中的蒲草與蘆葦一樣，只要有一點點水和泥土即可很快茂盛起來，也就是說任何政策的小確幸，民心都是有感的，民意都會支持的，這就是《中庸》所說的「人道敏政，地道敏樹，夫政也者，蒲蘆也」的道理。

任何國家的領導人都是眾望所歸，眾怨所集的焦點，如果領導人菽麥不分，完全沒有體認民間疾苦，民調與聲望自然低落，反之，只要領導人體察民意，做任何決策以民意為依歸，只要有好的政策出來，人民就願意接受，民調和聲望自然很快就會起來，簡單來說，為政之道無它，就是要知道給（給人民好的政策）

就是取（獲得民意支持）的道理，這是為政的法寶，「知與之為取，政之寶也」。

原文刊載於二〇一六年十二月十四日《蘋果網路論壇》

# 自古英雄之楚又之秦

我的朋友志明醫學系畢業後放棄臨床高薪，赴美長春藤名校取得博士學位，並順利在長春藤名校獲得教職，後來在其大學母校校長盛情邀約下返國，回其母校任職，最近聽聞他已被高薪挖角，跳槽到另一所大學任職。這是「楚材晉用」典型的例子，在企業界是常見的現象，一點也不值得大驚小怪。

先說一下楚材晉用的典故。春秋時代，聲子出使晉國，回國途中去了楚國，楚相問他晉國和楚國的大夫誰較賢能？聲子回答說晉卿不如楚卿的賢能，但晉國的大夫之能，皆足以為卿，然而那些人才都是從楚國去的，就像楚國生產杞木與梓木都被運往晉國使用一樣，「楚雖有材，晉實用之」。順便閒話一提，耶律楚材是成吉思汗率蒙古大軍西征花剌子模城的首席謀臣，也是勸戒成吉思汗息戰戒殺奠定元朝格局的奇才；相傳他的父親，耶律履年近花甲，老來得子，異常高興，對其親友說：「此吾家千里駒也，他日必成偉器，且為異國用。」其父就以「楚材晉用」的典故將其命名為耶律楚材，耶律楚材身為契丹人，先為女真所用，再投蒙古，確實稱得上楚材晉用，實至名歸。

一個有才華的人，最怕的就是懷才不遇，不被見用，如果比他差的人都平步青雲，他心中的不平與苦悶是難以想像的。古云：「人平不語，水平不流。」不平則鳴是人之常情，有大才的人如果受到公平的對待，自然就不會閒言閒語，抱怨太多，就像水平就穩定不流動一樣，換句話說，「楚材」是否變成「晉用」，問題不在於晉國如何挖角，而在於楚國是否公平善待人才，是否有具備讓人才發揮長才的舞臺，否則楚國雖然人才濟濟，但因刑罰太過嚴厲，最後人才紛紛出逃亡命，而為晉國所用，更何況人才也需適當的組織與環境配合，才能發揮最大功用，否則成效將大打折扣。

商鞅入秦變法，提倡法治是大家熟知的故事，他在政治上所做的改變，影響了秦國後來的秦始皇，甚至影響了中國的歷史。其實商鞅也是楚材晉用的典型，他原為天下第一強國的魏國人，但不為魏國所重用；適時，秦孝公勵精圖治頒布「求賢令」公告天下，徵求富國強兵之策，只要任何人能夠出奇計，使秦國強盛，就給予他高官厚祿，並分封土地（賓客群臣有能出奇計強秦者，吾且尊官，與之分土），商鞅看了求賢令後，就決心入秦，依靠景監的引薦見到了秦孝公，二人共經四次的會面，商鞅每次提出不同的強秦策略，最後以「強國之術」的策略說服秦孝公。秦孝公覺得商鞅是個奇才，不但要用他，而且要大大用他，即決定由他推行「變法」的計畫。最後將秦國改變成富裕大國，奠定秦國統一六國之基礎。

真正的人才，其實想要的只是一個出頭的機會，一個施展抱負的機會，而這樣的機會需要一個真正想要用人才的領導者才能給他，領導者借賢才治天下實現理（夢）想，因此領導者要有識人之明，要有伯樂的慧眼去發現千里馬。相同的道理，有才能的人選擇好的領導也很重要，「良禽擇木而棲，賢臣擇主而事」，否則人才的發展空間也會受限。這個社會，只要你有才能，而且人家也需要你，人家自然會挖角禮聘你，人家自然會用你，這就是人才的自然流動；反之，你有才能，可是單位或組織不需要，或是遇人不淑，碰到壞的領導人，那你只能徒呼負負，喟然而嘆，自怨懷才不遇了，這時轉換跑道，另擇主而事，也是人之常情，無可厚非。楚漢之爭，最後垓下一戰，劉邦獲勝，登上皇帝寶座，項羽為何敗給劉邦，除了主客觀因素外，在於項羽不會善用人才，致使名將韓信、英布等紛紛離去，拱手把人才讓給劉邦使用（楚材漢用）；反之，劉邦知人善任，讓張良、蕭何、韓信三個人才各盡所能發揮才幹，因此成就了春秋大業，漢高祖說：「此三者，皆人傑也，吾能用之，此吾所以有天下也。」

孟子曾引用春秋時代齊國的一句名言：「雖有智慧，不如乘勢；雖有鎡基，不如待時。」意思是說，雖然你有聰明的智慧，但是客觀環境沒有構成有利形勢，也是沒辦法成功；即使你有穩固的實力，也是要等待時機才能成功，機會不來，也是枉然。自古英雄為了實踐理想與抱負，豪情萬丈，到處奔波，「自古英雄之楚、又之秦」，有智慧的人，要創造機會，把握機會，平時就得蓄積自己的實力，機會來臨時，才能乘勢而起，上天永遠賜機會給有充分準備的人。

原文刊載於二〇一六年十二月二十六日《臺灣時報》

# 施政溫和，福祿就有

政府推動《勞基法》修正後，「一例一休」新制正式實施，原來修法的美意是要讓勞工增加假期，保障勞工更多權益，在新法的保障下勞方可以向資方爭取更多的權益，勞工意識去年確實大幅成長，這肯定是好事。

新制的實施，本來立意良好，但是政府硬性規定各行各業勞資之間的排班默契，導致勞方抱怨連連，資方也叫苦連天，勞動市場大亂，結果是勞資雙方都沒人滿意新制度。其實法令是治理國家的工具，但並不是決定國家政治清濁的關鍵因素（法令者治之具，而非制治清濁之源），當年漢高祖劉邦率兵進入霸上時，法律只有三條，就是有名的約法三章，「與父老約，法三章耳，殺人者死，傷人及盜抵罪，餘悉除去秦法」，劉邦將秦法全部廢除，並且重新訂定法律，就是殺人抵命，傷人與偷盜必須接受懲罰，如此簡單而已，但確獲得咸陽居民的人心歸向，為漢室的基業奠定了基礎。

老子說：「法令滋彰，盜賊多有。」意思是說法令愈多愈嚴酷，犯法的人就更多。司馬遷《史記．酷吏列傳》嘗言秦國的法網可夠嚴密的了，但是奸詐虛假之事層出不窮，甚至到了上下通同作弊，鑽法律漏洞的地步，弄得國家哀頹不振（昔天下之網嘗密矣，然奸偽萌起，其極也，上下相遁，至於不振）。從生活經驗法則來看，越懂得法令也越會鑽法令漏洞，不論法條多嚴密，可鑽的漏洞愈多，而且也愈容易鑽，政府其實只需規範工時、加班時數、休假日數等的基本原則，並給適當的彈性由勞資雙方調配即可，結果規範的越多，勞資關係越亂。老子的政治哲學主張「天（法）網恢恢，疏而不失（漏）」，意思是說上天的法網雖然寬大稀疏，但絕不會縱容作惡的壞人，其實簡單說就是因果律，對勞工壓榨者，終究會得到應有的法律制裁，莫存僥倖；政府要用寬厚有彈性的政策使企業與民眾服從，政事才會平和。《詩經》說：「不競不絿，不剛不柔，布政優優，百祿是遒，和之至也！」意思是說施政不急不緩，不剛不柔，施政溫和，福祿就有，就是用和諧來使國家平靜穩定，創造政府、企業、勞工三贏的局面。

我們時常罵人「朝三暮四」，是形容人經常變卦，反復無常，捉摸不定，《莊子》一書記載了這則「狙公賦芧」的寓言故事，從前有一個養猴子的老頭子叫「狙公」，本來早晨餵四個栗子，晚上餵三個栗子給猴子吃（朝四暮三），有一天狙公餵栗子給猴子時說，明天開始，早晨給你們三個，晚上給你們四個（朝三暮四），結果猴子就發怒起來，狙公就說不要吵，還是照舊早上給你們四個，晚上給你們三個，猴子聽了都高興起來，其實狙公一天還是只餵七個栗子給猴子，並沒有變（名實未虧），只是原來是「朝四暮三」，現在變成「朝三暮四」，只把觀念一變，猴子就受不了啦！其實都是心理作用而已。人的社會要改變更難，因為一改變，造成不方便，百姓就會反對（民曰不便），西漢王莽想把私有財產制度恢復為公有財產，宋朝王安石的變法，最後都以失敗收場，其實說穿了都是「民曰不便」。勞基法政策的轉變是劃時代的改變，原來立意良好，但造成勞資雙方諸多不方便也是事實，因此許多人反對，但是吵了半天，還是改變了，這不就是現代版的「狙公賦芧」嗎？

一例一休的法律實施，原意是重視勞工的權益，可是勞工是否真正的受益，引發諸多評論，講實在一點，「卑之無甚高論」，也許要等一段時間之後才能有比較精確的判斷。不過任何改革一定會有陣痛，這是社會適應的問題（民皆曰不便），我們期待陣痛之後有新生的喜悅，當然政府當務之急就是要廣聽社會各階層的聲音，察納雅言，否則，政府與民間看法迥異，好惡相違，那要使國家穩定發展，法令正常施行，是做不到的啊（上下相反，好惡乖迕，而欲國富法立，不可得也）！

原文刊載於二〇一七年一月十七日《蘋果網路論壇》

# 君子動口不動手

臺北市議員童仲彥家暴案的新聞，從年前吵到年後，每天上新聞版面，過程高潮迭起，充滿戲劇性，十三日民進黨中評會做出開除黨籍處分後，事件總算塵埃落定，暫時落幕。

我相信童仲彥與其妻子曾經彼此恩愛，互不猜疑，共同度過歡娛美好的時光，只可惜和諧美好的情景不再，最主要的理由當然是其妻無法再繼續忍受丈夫的動輒拳腳相向的暴力行為。臺灣話有句俗諺：「驚某大丈夫，打某豬狗牛。」打人本來就是一種暴力行為，那絕不是男性尊嚴的表現，這句俗語其實是明顯表達對於家庭暴力的唾棄，所以用禽獸來比喻，更何況打的人是曾經許下「執子之手，白首偕老」親密的太太，這句俗諺也點出了古人提倡的「家和萬事興」的夫妻相處之道，即便是娶了個河東獅吼兇悍的妻子，為了家庭和諧，也要有忍讓的情操，不能隨便出手打人，要「牽」老婆的「手」，不要對老婆「動手」，像童仲彥出手打老婆，打到上媒體版面，恐怕他已後悔莫及了。

我們都尊稱別人的妻子為某「太太」，順便閒話一提「太太」的典故。眾所周知，周朝始於文王，文王的父親叫季歷，季歷的父親叫古公亶父（太王），「太姜」是周朝先祖周太王的夫人，生有三個兒子（即季歷等三兄弟之母），端莊美麗，性情貞靜柔順，極有智慧，太王謀事必與「太姜」商量；季歷繼位，娶「太妊」為妻（文王的母親），史載，她有身孕後即開始胎教，所謂「目不視惡色，耳不聽淫音，口不出傲言」，因此而生姬昌（即文王）；《詩經・關睢》「關關睢鳩，在河之洲。窈窕淑女，君子好逑。……」，這首情詩裡的君子與淑女就是周文王與其正妃「太姒」，史載，「太姒」仁慈賢淑，仰慕「太姜」與「太妊」的德行，以婦禮婦道教化天下。尊稱別人的妻子為「太太」就是由周室王朝創業前三位君王的妻子，婆媳三代，三位「太」字輩賢妻良母，母儀天下的典故而來。細看「太」的造字，就是大字多一點，其實「太太」就是大一點，太太是內人，「一日夫妻百事恩」，讓內人佔一點便宜也是合情合理，更何況俗諺不是也說「聽某嘴大富貴」嗎？

結婚在我國文化傳統是大事，終身大事，因此結婚時要拜天地，拜父母，夫妻對拜。拜天地的意義其實就是視天地為證婚人，監督自己的行為，不能違背對對方終身負責的承諾與誓言，無論是東方或西方的婚禮都是這種神聖意義的體現。蘇軾曾說一個人輝煌騰達時不能將妻子隨意拋棄——「居富貴時不易糟糠」，其實也是遵守結婚契約，兌現自己承諾的具體表現。這句語中的糟糠就是妻子的意思。相傳東漢光武帝的姊姊湖陽公主新寡後，光武帝有意將她嫁給大司空宋弘，有天光武帝召見宋弘說：「諺言貴易交，富易妻，人情乎？」意思是說，俗話說，人尊貴了就換朋友，富有了就會換妻子，這是人之常情吧？宋弘說：「臣聞貧賤之交不可忘，糟糠之妻不下堂。」意思是說，在貧困患難時結交的朋友不可忘記，與自己共患難的妻子不能拋棄。於是光武帝只好作罷，這就是糟糠之妻的典故。後記，蘇軾的妻子王弗二十七歲不幸逝去，與蘇軾結髮只有十一年，蘇軾四十歲時，也是其妻子死亡十年後，憶及昔日恩愛情懷，寫下了「十年生死兩茫茫，不思量，自難忘，……」的詞，讀來令人動容。

臺灣社會變遷快速，傳統社會價值觀念逐漸淡薄，對婚姻的態度日漸隨便，因此離婚率愈來愈高，民國七十年時平均每日約四十一對離婚，現在每天平均大約有一百五十對離婚，如果結婚是合二姓之好（秦晉之好），那離婚不就是結二姓之惡嗎？因此傳統社會不太鼓勵離婚，其實破壞婚姻導致的煩惱不見得比維繫婚姻的煩惱少，婚姻不是兒戲，不是想離就離。相傳唐朝有位名士，看到其妻年老色衰，產生了再納新歡的想法，寫了一副上聯置於案頭：「荷敗蓮殘，落葉歸根變老藕」，妻子看到了，一點也不生氣，提筆續了下聯「禾黃稻熟，吹糠見米現新糧」，名士讀了妻子的下聯，被妻子的才思敏捷和愛心所打動，便放棄了棄舊納新的念頭。妻子見丈夫回心轉意，不忘舊情，揮筆寫到「老公十分公道」；名士也揮筆寫了下聯：「老婆一片婆心」。這是「老公老婆」典故的由來，婚姻的維持，兩造都有責任，有爭執要靠智慧解決，就像老公老婆的故事主角一樣。君子動口不動手，我們誠不希望再看到毆打糟糠妻的暴戾行為。

原文刊載於二〇一七年二月十五日《蘋果網路論壇》

# 韓國總統被彈劾下臺的啟示

南韓總統朴槿惠因崔順實「閨密干政」醜聞被揭發，事件扯出官商勾結，逼迫企業捐款等不法行為，經韓國憲法法院八名法官一致通過彈劾議案被免去總統職務，成為南韓歷史上首位被彈劾通過的總統。朴槿惠也是南韓歷史上首位女總統，二〇一三年就任後韓國人寄望新人新政，有待於她開創新局，推動國家經濟的建設與發展，無奈南韓經濟並無起色，又爆發醜聞，真是所託非人。

閨密案的女主角崔順實其實並沒有任何正式官職，但是朴槿惠重度仰賴她、寵信她，導致醜聞案爆發不可收拾。翻開中國歷史，皇帝寵信佞臣而導致朝綱敗壞，朝政失序而導致國勢日微甚或國滅者，史蹟斑斑可考，不勝枚舉。其實這些受寵信的佞臣和人君（領導人）因接近而親狎，能用一點點小善去迎合人主之意，靠小信用抓住人主之心，使人主一定信任他們，親近他們（能以小善中人之意，小信固人之心，使人主必信而親之）。久而久之，領導人就和這些人一天比一天親近，關係更牢靠，事事以他們意見為尊（左右者日益親），因此忠臣賢才被排擠而日益被疏遠（忠臣碩士日益疏），這樣一來，領導人就很容易變成孤君（人主之勢日益孤），形勢被孤立，恐懼禍患之心就一天比一天嚴重（懼禍之心日益切），受寵信的奸小，權力反而更穩固（把持者日益牢），歐陽修在〈五代史宦者傳論〉把受寵信的宦官之弄權模式及對國家的危害做了深度的分析，他的結論是人君對於女色的迷惑，假若一旦覺悟，把她打入冷宮或趕走就好了，但是對於受寵之奸小，即使想悔悟，在形勢上也有一時不能把他們除去的困難（勢有不得而去也），以致愈陷愈深，終至尾大不掉，弄到不可收拾的地步，做為領導人可以不謹慎嗎？

馬是蒙古人的交通運輸工具，蒙古族的百姓牽著馬相遇時，常常要互相拍拍對方馬的屁股，繼而摸摸馬膘，然後讚美一聲「好馬」，博得馬主人歡心，以示熱情，原來「拍馬屁」是一種風俗無貶意，所以有句俗話說「千錯萬錯，拍馬屁沒錯」，之後有人不管馬強弱，不顧實際，只要看到權貴策馬而來，爭相恭維（大人的好馬，大人的好馬），拍馬屁就變成諂媚奉承，討好別人的同義語而有貶意。其實投長官之所好是人之常情，也許也沒什麼大錯，畢竟那是老闆的旨意，做錯了事，就助長了長官之罪惡，但罪惡還算小（長君之惡，其罪小），但孟子又說「逢君之惡，其罪大」，意思是說上司可能原來沒有犯罪敗德的意思，或者心中想做，但卻還不敢明目張膽地做，而部屬卻揣摩上意，想好說詞去滿足迎合上司的欲望，甚至比上司希望的還多，有時候甚至不給老闆知道，等老闆知道時，木已成舟，生米煮成熟飯，一切已成事實了，結果更得長官歡心，崔順實的例子是「長君之惡」還是「逢君之惡」不得而知，但結果都是把國家搞得烏煙瘴氣。

「眼看她起朱樓，眼看她宴賓客，眼看她樓塌了」，朴槿惠曾是韓國史上選出的第一位女總統，對當時在發展中的韓國而言，是相當進步的文明象徵，如今已被罷免彈劾搬出韓國總統府，並將面臨刑事檢控。歷經千辛萬苦才取得的政權，難道失去政權就這麼容易嗎（豈得之難而失之易歟）？其實追究成敗的根源，都是人為（事）的因素造成的，如果不是重用閨密，爆出賄賂醜聞，朴槿惠應該可以任滿卸任，今日她的一切，可謂咎由自取，人自為禍，終將自害而不可救，也應驗了孟子引述《尚書》的一句話「天作孽，猶可違；自作孽，不可活」的道理，北宋大文豪歐陽修也曾說「憂勞可以興國，逸豫可以亡身」是自然之理，取得政權非經一番艱困奮鬥不可，但取得政權後，也很容易出現驕奢淫逸的事端，在安逸中失去政權，任何國家的領導人應該體會唐太宗「創業維艱，守成不易」的道理，率領執政的閣員團隊共同面對守成的艱難時刻。

曾子在《大學》一書中曾經說過：「有國者不可以不慎，辟，則為天下僇矣。」意思是說執政者不可以不謹慎將事，如果一切好惡都出自於一己偏私而違反人心，就會被天下人所推翻而失去政權。的確，執政者要有隨時反觀自省的警覺，不可被權位所迷惑，而陷於萬劫不復的境地，要讓政權永續，唯一的條件就是需要人民的歸心擁護，「道得眾則得國，失眾則失國」，得民心就能得政權，失民心就失去政權，這是千古不易的法則，歐陽修曾經說過：「盛衰之理，雖曰天命，豈非人事哉！」實可做為執政者治國平天下的警惕。

原文刊載於二〇一七年三月十五日《蘋果網路論壇》

# 禍患常積於忽微

著名藝人豬哥亮的健康消息是這星期重要的社會新聞，他罹患大腸癌，病情可能不樂觀，媒體甚至報導病危的消息，據報導豬哥亮二年前即得知罹患大腸癌二期，但仍繼續拍戲演藝工作，不願就醫，錯過黃金治療期，讓原本二期腸癌惡化，讓人聽了格外感慨，不勝唏噓，我們為這位傳奇人物打氣加油，期盼他能戰勝病魔。

扁鵲是春秋戰國時期家戶喻曉的神醫，他治病首創以診脈法為主，造詣精深，是中國歷史十大名醫之首，《史記・扁鵲倉公列傳》記載了扁鵲想為齊桓侯治病，但桓侯固執己見拒絕就醫，最後導致病死的故事。

話說有一次，扁鵲路過齊國，桓侯設宴款待，扁鵲見到桓侯便說：「你的皮膚與肌肉之間有病，不治會加重的。」桓侯不理會，等扁鵲出去了，桓侯對左右說醫生喜好功利，往往喜歡治療沒病的人，顯示他治療的本領（醫之好利也，欲以不疾者為功）。過了五天，扁鵲再去拜會齊桓侯說到：「你的疾病到了血脈，不治療恐怕會加重。」齊桓侯仍然不信，更加不悅。又過了五天，扁鵲再來，告訴齊桓侯：「你的病已到腸胃，不治療會更嚴重。」齊桓侯仍然不予理睬。又過了五天，扁鵲又去拜見，一見到齊桓侯，就趕快退出離開了，齊桓侯派人去問明原委，扁鵲說：「病已深入骨髓，即使掌管生死的司命之神對他也無可奈何，我也無能為力為他治病了。」果然五天後，齊桓侯患了重病，派人去找扁鵲，但扁鵲早已逃離了，齊桓侯因此病死。這個故事其實告訴我們，扁鵲一眼就從細微處看出齊桓侯有疾，並告訴他要即時醫治，可是齊桓侯不聽，堅信「寡人無疾」，最後病入膏肓，一命嗚呼，就算神仙來也難救。

〈扁鵲倉公列傳〉記載扁鵲提出疾病有六種不可治癒的情況（六不治）：驕狂放縱，不聽道理（驕恣不論於理，一不治也）；看重錢財不愛身體（輕身重財，二不治也）；衣著飲食不能適當（衣食不能適，三不治也）；陰陽錯亂，五臟六腑亂（陰陽並，藏氣不定，四不治也）；身體羸弱而不能服藥（形羸不能服藥，五不治也）；信巫不信醫，六不治也。有這其中之一種情形，病就難以治癒了（有此一者，則重難治也）。扁鵲提出的醫療主張強調了醫病合作的必要性，與當代醫學治療理論吻合，簡單地說，發現了疾病，就要相信醫生的專業，接受正規的治療，否則就像齊桓侯因驕恣不論於理，終因錯過時機，不治而死；從病人的角度來說，要重視自己的健康，不要一味追求財富，透支健康，賺錢賺到死，更要有健康的生活方式，飲食要有節度，切莫暴飲暴食，有病就要早求醫，莫等氣血不平衡，器官功能失調，身體虛弱到不行才去就診，一味諱疾忌醫，只會讓病情加重，降低被治癒的機率，等到病情惡化後，就藥石罔效，回天乏術了。

太史公說：「使聖人豫知微，能使良醫得蚤從事，則病可已，身可活也。」意思是說假使齊桓侯能預先知道疾病的徵兆，能夠延請好的醫生及早治療，那麼疾病就能治好，性命就能保住了。以現代的預防醫學角度，更要在發現徵兆前，便要好好保養身體，增進自己的健康，「至人上士乃施藥於病前，不追修於既敗之後」，這是東晉葛洪《抱朴子》所說的預防醫學之道。

歐陽修說過一句名言：「禍患常積於忽微。」意思是說禍患常常是由細微的事情累積起來的，許多小毛病累積起來，就成為大毛病，養生之道如此，治國之道也如此。以最近吵得喋喋不休的年金改革為例，其實前幾任總統都有看出問題之端倪與嚴重性，但為了選票考量，都沒有正視解決問題的必要性，以致事情演變至今，事態嚴重，處理棘手。老子說：「天下之難事必作於易，天下之大事必作於細。」天下的難事大事必定開始於細微，昔在位者未能防患於未然，於今積重難返，恐怕悔不當初吧！

蘇軾的父親蘇洵，即蘇老泉，他自小受溺愛疼寵，十分好玩。直到二十七歲才發憤讀書，他的典故，大家耳熟能詳，就是《三字經》所說：「蘇老泉，二十七，始發憤，讀書籍。」他可說是大器晚成。他認為事情沒發生變亂時，是最容易治理的（未亂，易治也），事情有發生變亂的徵兆，但還沒形成變亂的事實，叫做將亂（有亂之萌，無亂之形，是謂將亂）。臺灣年金改革已錯過良好時機，現在是最艱難的時刻，但千萬不可以因為有亂的徵兆就緊急處理而病疾亂投醫，也不可以因為無亂的跡象就放鬆懈怠（將亂難治，不可以有亂疾，亦不可以無亂弛），過與不及終將造成社會動蕩不安，其間之分寸拿捏，考驗領導者的智慧。《易經》有云：「窮則變，變則通，通則久。」年金的制度變革，既要顧全大局，又要小處也注意到，領導人做任何決策前，都要小心謹慎，仔細評估，才能使國家長治久安。

原文刊載於二〇一七年四月五日《蘋果網路論壇》

# 求其生而可得乎？抑或不可得乎？

某建商小開追求女子遭拒，砍殺對方致死，八年前被最高法院判處死刑定讞，檢察總長最近以最高法院未審酌「教化可能性」，有違歷年判決死刑慣例及平等與比例原則，向最高法院提起非常上訴，檢察總長首度對死刑「量刑」而非疑為冤案之死刑犯提起非常上訴，乃屬其職權之獨立行使，吾人應予以尊重，但被害人家屬一定感到震驚與失望，也屬人之常情。

本案歷經最高法院七次發回高等法院更審，七次更審，經二十一位高等法院法官合議，被告均被判處死刑，從機率的角度來說，以現有的犯罪證據，合議庭七次一致判決被告死刑，其發生誤判的機率可謂非常小，統計學的語言則說，最高法院判決被告死刑確定犯第一類型錯誤的機率（$\alpha$型錯誤）非常小，也就是說本案被告被錯誤判決形成冤案的機率非常小。

死刑是刑罰的一種，刑罰判處了死刑的人，大抵皆屬罪大惡極，也是罪犯中特別壞之人（刑入於死者，乃罪大惡極，此又小人之尤甚者也），歐陽修的〈縱囚論〉描述唐太宗縱放死囚犯三百餘人返家，並諭令來年秋天返獄候死（錄大辟囚三百餘人，縱使返家，約其自歸以就死），這些囚犯後來全部如期歸來，沒有逾期不歸的（其囚及期而卒自歸，無後者），歐陽修對此事大加批判，他說預期囚犯一定會回來才釋放他們，這是在上位者揣測囚犯的心理（上賊下之情也），對死囚而言，這是孤注一擲的賭注，料想一定可以獲得赦免才又回來，這是囚犯猜測在上位者的心理（下賊上之心也）。歐陽修批評此舉是上位者與囚犯互相猜測來成就唐太宗布施恩德之虛名罷了（上下交相賊以成此名也）。

檢察總長非常上訴理由所提「教化可能性」，這種事只可偶爾做一次，如果屢次這樣做，請問哪一個死刑犯沒有教化之可能性，那麼殺人的罪犯都可以不死，這難道可以做為天下的常法嗎（若屢為之，則殺人者皆不死，是可以為天下之常法乎）？實際上這會助長死刑犯的投機心理，殺人犯教化後有悔悟，就可免於一死，對療傷止痛中的被害人家屬可能無法接受，甚至造成二次傷害，那真是情何以堪！歐陽修最後提出類此事件必須本於人情才是常法，不可標新立異，不可違背人情來表現崇高，干求名譽（必本於人情，不立異以為高，不逆情以干譽）。

順道一提，歐陽修的父親歐陽觀在歐陽修四歲時便不幸早逝，由母親一手拉拔長大，其母曾以荻草畫地教導他寫字，他侍母至孝，憑藉母親生前的口述，寫下了千古名文〈瀧岡阡表〉，追記其父事親至孝，居官仁厚及母親的賢淑善良。文中歐陽修的母親告訴他，你父親為官，常在晚上點著蠟燭處理公文（夜燭治官書），往往一再停下來嘆氣，我問他，他便說這是死刑的案子，我想替他找一條生路卻找不到（此死獄也，我求其生不得爾），我說，生路可以找到嗎？他說，替他找過生路而找不到，那麼死囚與我都沒有遺憾了（求其生而不得，則死者與我皆無恨也）。何況有時能找到的呢（矧求而有得邪）？正因為有時可以找得到，就可以知道不替他找生路即判他死刑，死刑犯是會有遺憾的（以其有得，則知不求而死者有恨也），試想替他找生路，還不免要判死罪，而世間卻有些官吏常常要判人家死罪呢（夫常求其生，猶失之死，而世常求其死也）！

歐陽修的父親與其說要為死囚尋找生路，不如說他是要替死囚找看看有沒有不判死刑的理由（有無有利被告證據），包括犯罪動機、犯案態度、有無前科等，如果做這樣的努力，都無法找到不判死刑的理由，那也就了無遺憾而心安理得了。當然法官量刑時應遵守法律更勝於人情，審慎懲治，才能達到安定社會的目的。

我相信二十一位高等法院法官都像歐陽修的父親一樣，居官仁厚，有人的惻隱天性，也都曾經為被告找過生路而不得，最後不得不判死刑，更不可能枉判無辜的人死刑，如同《尚書》所說：與其錯殺無辜，寧可承受執法散漫疏漏的咎責（與其殺無辜，甯之不經）。

筆者不是法律學者，法官判決是否有違背法令與死刑存廢均不是本文討論範圍，當然檢察總長提出非常上訴，如果是彰顯我國與國際人權公約（公民與政治權利國際公約，經濟社會文化權利國際公約）接軌，倒也值得肯定，至於其結果，就由最高法院做最後之裁判了。

原文刊載於二〇一七年四月六日《蘋果網路論壇》

# 七年之病，求三年之艾，可得乎？

全民關心矚目的年金改革，經過近一年的喋喋不休，吵吵鬧鬧後，立法院終於將各版本的年金改革方案自四月十九日起交付各委員會審查，這個問題很大，因為攸關人民退休後的生活，也是一個國家人民永續生存的問題，更與國家的財政經濟問題牽連在一起，值得全民關注。

年金問題其實存在已久，前幾任總統都有看出問題的嚴重性，但諱疾忌醫，都沒有即時處理，拖延至今，事態嚴重，已到燃眉之急，才要找解決良方，恐怕就找得很辛苦了，就像已生了七年的重病，需要尋找收藏三年的陳艾似的，假使平常沒有準備，永遠沒有三年的陳艾（猶七年之病，求三年之艾也，苟為不畜，終身不得）。

宋朝的大文學家蘇東坡曾經寫過〈晁錯論〉，文中蘇軾提到天下的禍害，最不容易處理的，莫過於表面上看來太平無事，實際上卻暗潮洶湧，如果按兵不動，眼睜睜看著事情的演變而不加以處理，最後恐怕會發展到不可收拾、難以挽回補救的地步（天下之患，最不可為者，名為治平無事，而其實有不測之憂，坐觀其變而不為之所，則恐至於不可救）。前幾任的領導人，該處理而未處理，想必是為了選票的原因吧（當行之而未之行者，諒有以也）！不能見微知著，有所大作為以防微杜漸，雖然國家僥倖苟安一時，但是事情演變的結果，國家不可承受之重的災難，醞釀逐漸成熟，禍害未來可能一夕發生，這是按照事情的規律發展的必然結果，不值得大驚小怪，此乃「事有必至，理有固然」之理。

蘇軾的文章中提到「古之立大事者，不惟有超世之才，亦必有堅忍不拔之志」。自古以來，能夠成就大事業的人，不但要有超越世人的才能，也必定要有堅忍不拔的意志，蘇軾並舉大禹治水為例，當事情（治水）還沒成功之時，可能也會有發生河堤潰決、河水亂沖等恐怖災禍，但大禹能事先預料各種狀況，掌握事情的進展，因此事到臨頭時，不驚慌失措，從容地尋找解決對策，最後終於獲得成功（方其功之未成也，蓋亦有潰冒衝突可畏之患，唯能前知其當然，事至不懼，而徐為之所，是以得至於成功）。這個歷任總統都視為燙手山芋的年金問題，蔡英文總統為了國家發展，選擇勇敢面對問題，擔起解決困難的重任，老實說這如同是無緣無故開啟大難的發端（無故而發大難之端），勇氣誠屬可嘉，我們相信執政的民進黨有能力發動這個問題，也有能力可以收拾局面（吾發之，吾能收之）。

在年金改革的過程中，驟然削減軍公教的實質所得替代率，他們群起反抗是人情之常，一點也不值得大驚小怪，因為對他們的衝擊很大（其為變，豈足怪哉），但是國家財政經濟日益疲弊，現在不立即治療，將來就成為痼疾，以後即使扁鵲再世，也無能為力。現在的情勢是實質所得替代率不管削還是不削，都會有反彈，兩造都各有支持者，「今削之亦反，不削之亦反」，「是削亦憂，不削亦憂」，各方的意見分歧，沒有一致的意見，期待立委諸公未來在審查法案時，要博資眾議，採納有遠見之謀略，評估政策施行之可能損益得失，選擇「所益者大，所損者微」的政策才是國家長治久安之道。

改革會引起很多的埋怨與憤恨（眾怨所歸），本身就需有冒險的心理準備，領導人為社會解決當前的難題，本來就是理所當然（慮天下者，當圖其所難），否則民眾為何要將選票投給妳，年金問題之解決急迫而必要，錯過這個節骨眼，將來恐怕後悔莫及（有為之時，莫急於今日）。蘇軾說：「欲求非常之功，則無務為自全之計。」想要求得不同尋常的功業，就必須勇往直前，不能老是想著如何保全自己。《尚書》說：「若藥不瞑眩，厥疾弗瘳。」意思是說：如果吃了藥，藥性不發作，心理不難受，那麼這個病大概就治不好了。我們希望蔡英文總統為年金問題這個大病而擔憂，但請蔡總統不要因為一時的頭昏眼花而裹足不前，「以終身狼疾為憂，而不以一日之瞑眩為苦」。

有逾六成的民眾支持在今年內完成年金改革，此天下之勢也，勢失不可得，只要是對大多數人有利的事，就當如莊子所說的「舉世而譽之而不加勸，舉世而非之而不加沮」的決心，排除萬難就毅然而然做了；若不然，改革不成，就如《詩經》所說：「其何能淑？載胥及溺。」意思是說，這個社會怎麼會有好結果呢？就如同自己跳下海自尋死路，那有什麼辦法呢！

原文刊載於二〇一七年四月十三日《蘋果網路論壇》

# 唯才是舉才能成就非常之功——遊滕王閣有感

農曆四月孟夏，經春雨的滋潤，草木滋長，圍繞居屋四周的樹木，枝葉茂盛，一片綠意盎然，「孟夏草木長，遶屋樹扶疏」，氣候雖不像春秋季節舒爽宜人，但亦屬旅遊的好時光，安排暢遊蘆山奇美，蘇軾行遊至此曾經寫下「橫看成嶺側成峰，遠近高低各不同，不識蘆山真面目，只緣身此山中」傳誦久遠的千古名詩，順便道訪神遊已久的滕王閣，體會初唐四傑（王勃、楊炯、盧照鄰、駱賓王）首席詩人王勃所寫「落霞與孤鶩齊飛，秋水共長天一色」的水天相接的視覺饗宴。

滕王閣、岳陽樓、黃鶴樓為江南三大名樓，黃鶴樓位於湖北省武漢市，因唐朝詩人崔顥的〈黃鶴樓〉一詩而出名，其名句是「昔人已乘黃鶴去，此地空餘黃鶴樓，黃鶴一去不復返，白雲千載空悠悠」；岳陽樓位於湖南省岳陽市，因范仲淹〈岳陽樓記〉而著名於世，其中名句為「先天下之憂而憂，後天下之樂而樂」；滕王閣位於江西省南昌市，由唐高祖李淵第二十二子（唐太宗之弟）滕王李元嬰所建，因初唐才子詩人王勃的〈滕王閣序〉而名傳千古，其名句為「落霞與孤鶩齊飛，秋水共長天一色」，韓愈曾說江南有很多可以登臨觀覽的美景，而滕王閣獨為第一，有奇偉超凡之名聲，「江南多臨觀之美，而滕王閣獨為第一，有瑰偉絕特之稱」，因此滕王閣最早名揚於天下而有江南第一樓之美譽。

其實，〈滕王閣序〉還有一段祕辛，也是中國文學史上的佳話，相傳當時在滕王閣宴請賓客的都督叫閻伯嶼，他表面上是為了慶祝滕王閣重修之盛，實際上早已預先安排女婿吳子章作好滕王閣落成的序文，準備在席間假裝是即席之作，以博取眾人誇讚其婿之才。王勃原要赴交趾探望其父親路過南昌，正好趕上當天的盛宴，席間，都督假意請賓客為滕王閣作序，大家都看出都督之用意，個個都推辭不願動筆，唯有不知情的王勃毫不客氣，接過紙

作者夫婦同遊滕王閣。

筆，揮筆而書，這可出乎都督意料之外，拂袖離席，但仍暗中派親信隨時報告王勃即席所寫的內容，等聽到「落霞與孤鶩齊飛，秋水共長天一色」，都督長嘆「此真天才，當垂不朽」。

都督想藉宴集賓客之機會誇耀女婿之文才，這是私情也是實情，王勃寫了令都督，嘆服的〈滕王閣序〉也是實情，當王勃寫完最後一個字，都督欣然拉著王勃，攜手並坐，與眾賓客交融於宴飲之中，把盞論文，最後才盡歡而散（極歡宴而罷），都督的愛才，不以私害公，才使〈滕王閣序〉成為中國文學史上的名篇。後記，大家耳熟能詳的「海內存知己，天涯若比鄰」千古傳誦名句，亦是出自王勃之筆。

談到愛才，就必須提到用才，特別是身負治理國家重任的領導人，因為個人能力是有限的，如果領導人不知知人善任是為政之本，就不能真正治理好國家，歷史上成就大王業大霸業者，皆待賢人之輔助才能成就功名，像姜太公之於周文王，管仲之於齊桓公，這是歷史的經驗，功成名就以得賢人為本，因此荀子主張領導人要善於管理別人才算是有才能「人主者，以官人為能者也」，這也是孟子所說的領導人要做到「貴德而尊士」，使「賢者在位，能者在職」。

漢高祖劉邦早年即有鄙視儒生的言行，他認為自己是馬上得天下，詩書沒有用處（乃公馬上而得之，安事詩書），當時有個儒生陸賈對高祖說：「你可以馬上得天下，豈可馬上治天下（居馬上得之，寧可以馬上治乎）？」後來漢高祖發布〈高帝求賢詔〉，表明自己求賢若渴的心意，指示各級官員舉薦賢才，使他得而用之，這是出身亭長，放蕩不羈的劉邦體認出要使國家長治久安，需仰賴賢人參與的渴望。

無獨有偶，漢武帝劉徹體認一己之力難以解決即位時所面臨的嚴峻挑戰，也頒布了〈武帝求茂才異等詔〉，茂才異等就是指超群出眾的傑出人才，也顯見他求才若渴的用人態度，他大膽拔擢人才，像衛青、張騫等人都是他破格提拔的人才，並因此造就了漢朝版圖遼闊的盛世，文中說，凡是要建立不尋常的功勳，就必須依靠不尋常的人才，有的馬狂奔踢人，但卻可奔馳千里，有的人才力排眾議受世俗嘲諷議論但卻可建立功業。那些不受駕馭的馬以及不受約束的人才，就看領導人如何駕馭罷了（蓋有非常之功，必待非常之人，故馬或奔踶而致千里，士或有負俗之累而立功名，夫泛駕之馬，跅弛之士，亦在御之而已）。

蔡英文總統執政滿週年，民調不滿意度過半，推出的重大政策如一例一休、年金改革、前瞻基礎建設計畫等都受到相當嚴峻的考驗，相信蔡總統一定感到頭痛不已。曾子曾總結歷史的經驗講過「用師者王，用友者霸，用徒者亡」的名言，意思是說能夠謙卑於人，把人才當老師看待，則可以稱王，周文王師事姜太公，商湯師事伊尹，便是「用師者王」的榜樣，劉備三顧茅廬，請諸葛亮為其出謀劃策，以朋友之道相處，所以只能守一個小小局面稱霸，是「用友者霸」之前例，至於一般的老闆們，都是喜歡用乖乖聽話服從的學生黨徒們，那就只能自取滅亡之道了。我們期待蔡總統莫夜郎自大，剛愎自用，要能尊賢以自輔，唯有「尊賢才能不惑」，那是《中庸》一書中所說治國平天下之道的九項大經大法的大原則之一。司馬相如也說：「蓋有非常之人，然後有非常之事，有非常之事，然後有非常之功。」國家未來如何繁榮發展，有賴蔡總統發布求賢令積極發現人才，拔擢人才，凝聚人才，「唯才是舉」才能成就非常之功；如果凡事自以為了不起，以「自能為能」，那麼一定會造成「上愈智則下愈愚」的現象，很多事恐怕都會「起不了」了，這當然非國家之福，做為國家領導人不可不慎戒也。

原文刊載於二〇一七年五月十七日《蘋果網路論壇》

# 眾人皆醉我獨醒——端午話屈原

農曆五月五日端午節快到了，端午節的習俗有划龍舟與吃粽子，是從兩千多年前的戰國時代開始的，一般認為端午節源自紀念楚國愛國詩人屈原的活動，故又名詩人節。廣大民眾為何如此敬仰與懷念屈原，以致每年都要以划龍舟及吃粽子的形式來紀念他呢？這是有故事的。

屈原，名平，與楚國王室同姓，曾擔任楚懷王的左徒（副宰相）要職。《史記・屈原賈生列傳》說他學識淵博，記憶力強，明白國家盛衰之理，熟習外交辭令（博聞彊志，明於治亂，嫻於辭令），入朝就跟楚懷王商議國事，發布號令，對外就接待賓客，應對諸侯（入則與王圖議國事，以出號令，出則接遇賓客，應對諸侯），可見楚懷王很重用他。

有一次楚懷王要屈原草擬法令，屈原寫好草稿，但尚未定稿，忽然上官大夫來拜訪並想奪為己有，屈原不給他，他就在楚懷王面前進讒言（懷王使屈原造為憲令，屈平屬草稿未定，上官大夫見而欲奪之，屈平不與，因讒之），說：「大王命令屈原起草法令，眾人皆知，每當法令公告後，屈原就自誇是自己的功勞，認為『如果不是我，誰能做得出來』。」楚懷王很生氣，就疏遠了屈原。後來也免去了屈原「左徒」的官職，並被放逐，屈原痛心楚懷王不能明察是非，讒言遮蔽賢明，奸佞陷害公正之人，方正之人不被見容（疾王聽之不聰也，讒諂之蔽明也，邪曲之害公也，方正之不容也），因此憂愁深思地寫下了名垂不朽的〈離騷〉詩篇。

戰國時代，基本上是秦、齊、楚、燕、韓、趙、魏七雄並起的局面，其中秦國的實力最強，野心也最大；楚國位處長江中下游地區，土地遼闊富饒，屈原輔佐楚懷王後，對內實行政治改革與富國強兵之策，對外善處各國關係，執行聯合抗秦之策，很快即成為僅次於秦國之國家。無奈，屈原失勢被罷斥後，秦國馬上派張儀到楚國挑撥離間，並用重金賄賂收買懷王的愛將鄭袖、靳尚等人，分裂聯合抗秦的統一戰線，造成懷王的錯誤決策，不但與齊國斷交，更二度出兵秦國，但均遭慘敗，並失去原屬楚國的漢中地區，此時懷王才又想起要重用屈原，但為時已晚矣。懷王死後由長子頃襄王繼位，並由其弟子蘭擔任令尹（宰相），頃襄王比其父更加昏庸無能，更加聽信讒言，把屈原再次趕出楚國都城，流放到邊遠荒僻之沅湘二水之間，有家歸不得。

屈原再次被放逐，心情煩悶，思慮混亂，心中充滿了抑鬱與困惑，不知如何自處「心煩慮亂，不知所從」，在百思不得其解情況下，於是求教於太卜（掌占卜之官）鄭詹尹，希望借龜策之術解開疑惑，在其〈卜居〉一文中，屈原自嘆世間是如此清濁而不分，認為輕薄的蟬翼是重的，而真正千鈞之重的東西反而被認為是輕的（世溷濁而不清，蟬翼為重，千鈞為輕），能振聾發聵的正大之聲被屏棄不用，而賤物之聲反而大肆囂鳴（黃鐘毀棄，瓦釜雷鳴），小人居於高位，氣燄囂張，賢臣卻默默無名不受重視（讒人高張，賢士無名），屈原慨嘆世間之人無法瞭解其對國家懷有的那顆廉潔與忠貞之心，只可惜鄭詹尹也無法解開屈原心中的疑惑（龜策誠不能知此事），並以「用君之心，行君之意」來勸屈原想開一些，別再一意孤行，但屈原仍執著自己的心意行事，保持自己的堅貞高潔，不隨波逐流，也不同流合汙。

有一天，屈原披頭散髮於江畔，遇見漁父，漁父便問他說：「你不是屈原嗎？何故至此？」屈原說：「舉世混濁而我獨清，眾人皆醉我獨醒，所以我被放逐至此。」漁父回答：「聰明人處世，不要拘泥於事務，要能順應時變，隨俗而調整，既然世上都混濁，你為何不隨波逐流呢？眾人都醉，你何不與他們同醉呢？何必堅持美德，而使自己遭受流放之難呢（夫聖人者，不凝滯於物，而能與世推移，舉世濁濁，何不隨其流而揚其波？眾人皆醉，何不餔其糟而啜其釃？何故懷瑾握瑜而自令見放為）？」

屈原回答說：「剛剛洗過頭的人，總要彈一彈帽子上的灰塵，剛洗過澡的人，一定要抖一抖衣服，有誰願意將自己乾淨的身軀弄髒呢？我寧可投水自盡身魚腹，又豈能讓世俗的塵埃玷汙呢（新沐者必彈冠，新浴者必振衣，人又誰能以身之察察，受物之汶汶者乎？寧赴常流而葬乎江魚腹中耳，又安能以皓皓之白而蒙世之溫蠖乎）？」屈原說完，朝前走去，西元前二七八年農曆五月五日，他漂泊到汨羅江邊，抱起一塊大石頭，自投汨羅江而死。百姓聽聞屈原投江而死，紛紛划船來救他，當然已無法救起屈原，就趕緊用粽子投入汨羅江裡餵魚，以便魚吃飽了就不會再去吃屈原的屍體，以後每年五月五日，當地舉行划龍舟比賽，表示救屈原之意，吃粽子也是表示祭祀屈原，這兩種風俗就把端午節形成了我國一個重要的傳統節日。

賈誼是漢初著名的政論家，大約晚屈原一百年，二十二歲即被漢文帝召為身邊最年輕的博士，依照儒術與陰陽五行概念為漢代設計了禮制。文帝很想破格任用，無奈受到大臣反對，賈誼乃被外放貶謫，其間曾路過湘水，念屈原忠而被貶，觸景傷情，寫下了著名的〈弔屈原賦〉。大意是藉憑弔屈原，投射因才華而無法見容當局的傷感心境，文中也是說整個國家無人瞭解自己，他只能獨自憂憤壓抑（國其莫我知，獨堙郁兮其誰語），並因此而生如鳳凰遠走高飛，有著「遠濁世而自藏」的隱逸傾向。太史公說他為屈原的心境感到悲痛，但等他讀了賈誼的〈弔屈原賦〉後，又怪屈原憑他的才華，如果到哪裡都能輔佐君主啊！何必把自己弄到這樣的地步呢？太史公讀了賈誼所作之賦後，看到賈誼把生死看得一樣，去就看得很輕（同生死，輕去就），自己也覺得茫然若有所失了。

美國著名學者史多茲博士（Paul Stoltz）一九九七年曾提出「逆境商數」（Adversity Quotient, AQ）的概念，他認為成功的關鍵不是天分、學歷，也不是財富，而是面對逆境的能力（AQ），高 AQ 的人會把逆境以及逆境造成的原因看成是暫時的，這種態度將使自己的精力更加旺盛，更加保持樂觀主義精神。AQ 愈高的人，有較高的耐受力，即使面對困難，他也看到積極因素，深信自己能度過難關，掌握局勢，目前的局勢只是黎明前的黑暗，我們多麼希望當年的屈原耐受性能高一點，忍耐等待時機，這樣楚國就不會喪失一個傑出人才，或許楚國的命運也會有所改變。當然啦！屈原的選擇是他無悔的執著，這點勿庸置疑。

原文刊載於二〇一七年五月三十一日《臺灣時報》

# 破獲毒品走私大案的啟示

據報載高雄籍漁船被查獲走私一千八百塊高純度海洛因，重量達六百九十三公斤，市價總值達一百億元，為國內治安史上破獲之最大宗走私毒品案，據法務部指出，六百九十三公斤之海洛因若分給兩千三百萬人，每人可分得〇・三公克，而吸一口的量約為〇・〇二公克，只要吸三口就可成癮，若這批海洛因不幸流入市面，對家庭、社會、國家將造成極嚴重的傷害，我們應該向破獲走私案的檢警調緝毒人員表示崇高的敬意。

因應毒品泛濫及毒品犯罪日益增加之趨勢，政府已將《肅清煙毒條例》改為《毒品危害防制條例》，按該條例海洛因屬一級毒品，製造、運輸、販賣第一級毒品者，處死刑或無期徒刑，本次破獲之海洛因走私犯所犯之刑罰不可謂不重，但中國有句古話「殺頭生意有人做，賠錢生意沒人做」，依市場供需原則，顯然需求者甚多，利潤也很豐富，因此只要有錢賺，就有人敢冒險，不怕殺頭。

社會上有人犯罪，把犯罪的人捕獲，繩之以法，不錯，執法的人，很有功勞，應當受獎並被嘉勉鼓勵，但執政者更應瞭解走私毒品之刑罰已這麼嚴重，為何這等事情之發生仍時有所聞，千萬不要把它當成偶發事件而輕忽，因為所有事情的發生，一定不是起於發生的那一天，必定有發生的徵兆與緣由（禍之作，不作於作之日，亦必有所由兆），這些徵兆都可由許多小地方發現，就像月亮四周圍繞著光氣就要刮風（月暈而風），柱下石墩潮濕就要下雨（楚潤而雨），都是有跡可尋的，不及時觀察、彌補，終將釀成社會無可挽回的損失，因為「物必先腐也，而後蟲生之」，「冰凍三尺，非一日之寒」，有關當局應當深切檢討原因，並做好預防性措施以防再發。

根據刑事警察局的分析，二〇一五年查獲近七萬九千名吸毒人口，其中兩萬三千萬人（百分之二十九）曾犯下殺人案，約一萬兩千人曾犯下重傷害案，而吸毒者涉及搶奪、強盜、擄人勒贖案之比例也超過五成；法務部的資料也顯示，二〇一五年底時在監受刑人共五萬六千零六十六人，因犯《毒品危害防制條例》的在監受刑人竟達兩萬七千七百四十五人，幾乎佔所有在監服刑人數之半，這也難怪臺灣各監獄人滿為患，法務部邱部長上任後即希望擴建監獄，解決監獄擁擠問題，但當務之急恐怕要先解決日益增多的違反《毒品危害條例》的犯罪人數，這才是正本清源之道。

西漢宣帝時的名宰相丙吉，有一天外出，在路上遇到鬥毆的殺人事件，他理也不理，同行的隨從掾史感到納悶（吉又嘗出，逢清道群鬥者，死傷橫道，吉過之不問，掾史獨怪之），丙吉繼續前行，後來看見農人趕著一頭牛，那頭牛在路邊喘息不停，他立刻停下來，叫隨從趨前問明那頭牛趕多遠了，為什麼吐舌喘氣（吉前行，逢人逐牛，牛喘吐舌，吉止駐，使騎吏問：「逐牛行幾里矣？」）？這時隨從就問丙吉，剛才路上發生殺人事件，你視而不見，不聞不問，現在看到路邊的牛喘氣，你反而關切（關心牛命，不關心人命），丙吉說：「路上殺人自有地方官員去管，不需我去過問，我做宰相的只要考察官吏的政績，依表現賞罰即可（民斗相殺傷，長安令京兆伊所當禁備逐捕，歲竟奏行賞罰而已，宰相不親小事，非所當於道路問也）。」又接著說：「但是現在是春天溫暖的季節，而牛異常喘氣，可能發生了牛瘟，對於農事生產可能會有影響，這些事地方官吏不大會注意，我當然要問清楚（方春未可大熱，恐牛近行用暑故喘，此時氣失節，恐有所傷害也，是以問之）。」

這是《漢書．丙吉傳》所記載丙吉問牛的故事，這個故事其實告訴我們，不要只看表面現象而忽略了背後的因果關係與潛藏的問題，丙吉因垂詢牛喘的事而名聲流傳，被稱為好宰相。

行政院院長林全迫不及待表揚破獲走私海洛因案的有功人員，事屬其職權，用彰鼓勵士氣，理有固然，但他如果能像丙吉一樣，仔細垂詢臺灣毒害問題的現況，從而可以抓住國家毒害問題之要害，並提出「如何做」的指導，那是國家之福，畢竟毒害問題已不是單純的社會治安問題，而是影響層面非常廣泛的國安問題。南唐中主李璟身邊有位伶人叫李家明，曾用「閒向斜陽嚼枯草，近來問喘更無人」來嘆息南唐沒有像丙吉這樣的賢相，誠然，我們需要有見微知著像丙吉這樣的行政院長，好好當政。

破獲毒品走私大案，毒品問題之嚴重性，應是一葉知秋矣！

原文刊載於二〇一七年五月三十一日《蘋果網路論壇》

# 高才毛遂自薦，盛位有赫赫之光

火紅的鳳凰花盛開，象徵著夏季的到來，這正是畢業的季節，驪歌輕唱，大家互道祝福，是畢業各奔東西，離情依依的時刻，即將邁入社會投入職場的畢業生，將成為職場的新鮮人，面對人生的另一階段，面臨找工作的困難，社會新鮮人難免會有誠惶誠恐的感覺。

蘇軾著有一篇〈賈誼論〉，開宗明義說人要有才能並不困難，如何有機會發揮並運用自己的才能才是真正的困難（非才之難，所以自用者實難），對於正在謀職的社會新鮮人來說，如何在面試的機會時，獲得青睞脫穎而出是很重要的事，沒有通過這一關的考驗，即使滿腹經綸也沒有機會展現自己的才華，這時把握機會，猜透對方需要什麼、想聽什麼，而不是你想說什麼就說什麼，才是說動對方的重點，這就是適時發揮毛遂自薦的精神，推薦自己適任該項工作，以後才有「自用其才」的機會。

《史記・平原君列傳》記述了毛遂自我推薦的故事。戰國時代，秦國圍攻趙國首都邯鄲，趙國派平原君出使楚國求援，說服楚國與趙國聯盟抗秦，平原君希望從其三千門客中挑選具有不同專長的門客二十名與他同往楚國遊說楚王，但他挑來挑去只選出十九個中意人選，這時，有一個叫毛遂的人自告奮勇說願與平原君同往，平原君就問毛遂：「你在我門下多久了？」毛遂回答：「三年了。」平原君說：「一個真正優秀的人，就像袋子裡的尖銳的東西一樣，它會立刻顯露出鋒利的尖錐，而你在我門下已三年，我卻沒聽聞你有什麼表現，你不能去，你還是留下吧（夫賢士之處世也，辟若錐之處囊中，其末立現，今先生處勝之門下三年於此矣，左右未有所稱誦，勝未有所聞，是先生無所有也，先生不能，先生留）！」

試問如果你是毛遂，這一刻你該怎麼辦？能夠改變命運的只有這一刻，你要如何說服平原君讓你一起去呢？是苦苦哀求嗎？是請人說項嗎？在這一刻，這些都是沒用的，要說服平原君的辦法只有一個，就是讓平原君相信讓你一起去楚國比讓你留在趙國對他更有利，於是毛遂對平原君說：「我現在向你自我推薦，就是請求你把我放進袋子裡，假如你早把我放進袋子裡，我早就冒出錐頭了，不單是錐尖露出而已（臣乃今日請處囊中耳，使遂蚤得處囊中，乃脫穎而出，非特其末見而已）。」平原君聽毛遂說得有理，就同意他一起去楚國。

到了楚國以後，毛遂靠著自己出眾的口才，果然大展鋒芒，挺身而出，陳述合縱的利害關係，成為談判時最得力的關鍵角色，成功說服楚王，兩國順利結盟，反觀那十九人都庸碌無為，也就是一般所說的依靠別人而辦成事情的人罷了（公等錄錄，所謂因人成事者也）。毛遂的表現果然令人刮目相看，平原君回到趙國後稱讚毛遂：「你一到楚國，就使趙國威望比傳國的九鼎大呂還受人尊重，你的三寸舌頭，真是比百萬雄軍還要強大（毛先生一至楚，而使趙重於九鼎大呂。毛先生以三寸之舌，彊於百萬之師）。」於是把毛遂當為上賓。

李白詩仙是盛唐時的偉大詩人，才氣縱橫有匡世濟民之志，他的詩作流傳千古，但是李白也曾像毛遂一樣寫過求職信，你知道嗎？李白寫過一封求職信〈與韓荊州書〉，向韓荊州自我推薦，韓荊州即韓朝宗，時任荊州長史兼襄州刺史，其人喜獎掖後進，薦拔人才。文章開頭借用天下談士的話「生不用封萬戶侯，但願一識韓荊州」讚美韓朝宗善於識拔人才，接著介紹自己的經歷、才能與志向，希望能獲得韓荊州的薦拔，為荊州效犬馬之勞，為文充滿對自己才能的自信，希望韓朝宗不要因為富貴就對「懷才待時」的賢士顯露驕傲，也不要因為他們暫時的微賤就輕視他們，那麼三千食客中，必定會有像毛遂那樣的人，如果我有機會展現才華，我會是那個毛遂（願君侯不以富貴而驕之，寒賤而忽之，則三千賓中有毛遂，使白得穎脫而出，即其人焉）。

蔡英文總統執政已逾一年，內政外交問題層出不窮，國政面臨著許多嚴重的困難與挑戰，國政正需要能人志士的參與，我們期待懷才待時的高才之士都能毛遂自薦，更期望蔡總統要以周公為典範。周公聽說有賢才要拜訪他，洗一次頭髮要三次挽束頭髮停下來不洗，吃飯時三次吐出正在咀嚼的食物，趕緊去迎接賢士（一沐三握髮，一飯三吐哺，起以待士，猶恐失天下之賢士），絲毫不敢怠慢，這就是「握髮吐哺」的典故，國家領導人千萬不要因有政權而驕慢於人（慎無以國驕人），更應有求才若渴、禮賢下士之決心，不能計較遠近親疏與個人恩怨私利，這樣才能享有高的聲望與聲勢，也就是盛位者留下韓愈所說的「赫赫之光」。

西元一八九四年國父曾上書李鴻章陳救國之大計，其中一計即為人能盡其才，其要義為「教養有道，則天無枉生之才，鼓勵以方，則野無抑鬱之士，任使得法，則朝無倖進之徒。斯三者不失其序，則人能盡其才矣，人既盡其才，則百事俱舉，百事舉矣，則富強不足謀也，秉國鈞者，盍於此留意哉！」

這個論調依然適用於今日之國家領導人。

原文刊載於二〇一七年六月十六日《蘋果網路論壇》

# 國家之敗，由官邪也

據報載，前消防署黃姓署長，被控利用消防署採購標案時，收受廠商賄賂兩千零七十六萬元，檢調搜索時，曾在他家及他在台塑的辦公室搜到市價近三千萬元的黃金金條，並搜到以其胞兄名義開立的黃金存摺，帳戶內黃金價值達三千五百萬元，媒體曾封他為「黃金署長」，臺北地方法院審理五年多，日前宣判，黃姓前署長被依貪污、收賄等罪，被判十八年有期徒刑，並沒收不法所得。

賈誼是漢文帝時的思想家與文學家，他的〈鵩鳥賦〉一文提到「貪夫殉財兮，烈士殉名。誇者死權兮，品庶馮生」，意思是說貪婪的人為錢財而死；剛勇堅毅的人為名譽而忘生死；誇耀權勢的人，死在爭權上；普通的庶民，就只知道生存活命保身。照理說，職位必然是與俸祿相稱的「位必稱祿」，俸祿也必然是與用度相稱的「祿必稱用」，國家一定要使官員的日用衣食各種用度，支出與收入平衡，並時時都有積餘藏存，這就是荀子所言相稱的道理（皆使衣食百用出入相擠，必時臧餘，謂之稱數）。消防署署長在國家文官體系係職務列簡任第十三職等的高階文官（我國最高常任文官是十四職等），其薪俸應付家庭所需，應是綽綽有餘才對，無奈，他不能廉潔自持，利用公權力及職務之便，謀取個人利益，導致如今可能鋃鐺入獄，身敗名裂，應驗了賈誼所說的「貪夫殉財兮」。

北宋時官俸優厚，且曾承平一時，為官者因此侈靡成習，《資治通鑑》的主編司馬光唯恐其子司馬康也沾染時習，寫了一篇家訓〈訓儉示康〉，文中司馬光自述其天性儉樸，不喜華靡，更嘆世俗日漸奢華，暢言節儉是一切德行的根源。他說一個人能節儉，欲望就少，為官者欲望少，就不會被外物所支配，才可以依據正道行事（君子寡欲，則不役於物，可以直道而行）；反之，奢侈欲望就多，為官者欲望多，就會貪求富貴，枉曲正道而招致災禍（侈則多欲，君子多欲，則貪慕富貴，枉道速禍），因此為官者，就會貪財收賄「居官必賄」，司馬光凡事依道（法）而行，為官自然光明磊落，因此他嘗自云「吾無過人者，但平生所為，未嘗有不可對人言者耳」。司馬光的修養實可做為官僚體系公務人員的典範。

晉朝大詩人陶淵明，他的田園詩作，傳誦久遠，他其實有個很有名的曾祖父叫陶侃，「陶侃運磚」的故事大家也是耳熟能詳的。陶侃之父早亡，家貧，由母親湛氏努力紡織賺得之工資撫養長大，陶侃年輕時在潯陽縣擔任管理河道及漁業的魚梁吏小官，有一次他把一罐土罐裝的醃魚，託派官府裡的差役送去給母親，他的母親卻原封不動交還給來者，並且寫了一封信給陶侃（嘗以坩鮓餉母，母封鮓付使，反書責侃），責備陶侃「汝為吏，以官物見餉，非唯不益，乃增吾憂也」，意思是說，你做了官，把公家的東西送給我，這對我不但沒有好處，反而增添了我的憂慮啊！

對於做了魚梁吏的兒子，能夠進行廉潔教育，公私分明，實為可敬可佩，陶母的教育也深深影響陶侃的一生，勤儉清廉的陶侃，終於成為國家棟樑，並成為流芳千古的名人，陶侃的母親因此成為中國歷史上的四大賢母之一。現代人讀「陶母責子」的故事，應該感悟特別深刻，政府更應積極落實廉能教育，公務員也應自我期許遵守「公務員廉政倫理規範」，以公共利益為依歸，建立良好政風，贏得老百姓信賴與尊敬。

《左傳・臧哀伯諫納郜鼎》記載了以下的故事。春秋時代，宋國滅郜，得其大鼎，是為郜鼎，宋國的亂臣華父督發動政變弒殺宋殤公，擁立宋莊公，宋莊公為取得國際社會的支持，承認宋國的變局，以賄賂的方法討好其他國國君，魯國得到的賄賂就是郜鼎，並將其置放於太廟，臧哀伯出面勸諫魯國國君。他說國家的衰敗，都是由於官員的不正當行為引起的，官員之所以失去德行，是仗恃長官過度寵愛，與明目張膽的受賄（國家之敗，由官邪也。官之失德，寵賂章也），把明目張膽作亂而得到的賄賂器物郜鼎放在太廟，這怎麼可以呢？

「國家之敗，由官邪也，官之失德，寵賂章也」這一句話是歷代君主為政警語，縱容貪官汙吏的結果，往往造成民不聊生，政治敗壞，最後極易導致官逼民反，國家敗亡。這些年，臺灣政府官員的貪瀆事件，層出不窮，不絕如縷，成立才六年的法務部廉政署，應更致力於打擊貪瀆，維護政府廉潔與社會正義，你們的任務真是任重而道遠。

原文刊載於二〇一七年七月六日《蘋果網路論壇》

# 祝福畢業生「不幸」，一起培養輸得起的孩子

美國首席大法官羅伯茲（John Roberts）上個月初受邀至其兒子就讀的中學畢業典禮致詞，其致詞影片被校方上傳至網路後引起很大迴響，大媒體《華盛頓郵報》、《時代雜誌》、《華爾街日報》等陸續報導，更引起全球媒體紛紛報導及網路瘋傳，並引發全球討論熱潮。

羅伯茲在演講中並沒有說出祝畢業生「一帆風順」、「鵬程萬里」之類的老調賀詞，反而一反傳統非典型地祝福畢業同學遭受「不公平的待遇」與「被背叛」，因為這樣才會知道正義的重要性與忠誠的可貴。羅伯茲還希望學生有時「挫敗且被嘲笑」，因為這樣才能瞭解生活中有些事情無法預期，你的成功未必是你應得的，而他人的失敗也未必是他們應得的結果。當你失敗時，我希望你的對手對你的失敗幸災樂禍，這樣你才會瞭解什麼是運動家的精神。羅伯茲最後說：「不管我有沒有這樣祝福你們，這些事都會發生，能不能因此成長受益，就

看你如何面對逆境。」羅伯茲的畢業典禮演講雖然很酷又另類，但許多網民深受感動，更值得做家長的人細細品味當中的道理。

蘇秦組織聯合陣線合縱抗秦，曾佩六國相印，顯赫一時，是家戶喻曉的歷史人物，但蘇秦其實遭遇許多「挫敗與被嘲笑」，蘇秦靠其勇氣，克服逆境，沒有被現實打敗，終致成功，我們且看《戰國策．蘇秦以連橫說秦》記錄這段歷史經驗的故事。

其實蘇秦最初是用「連橫」之策遊說秦惠王兼併諸侯統一天下，但秦惠王很客氣地對他說，謝謝你不遠千里而來到秦國指導我，希望將來有一天再向你請教（今先生儼然不遠千里而庭教之，願以異日），其實秦惠王就是婉拒的意思。蘇秦再接再厲，總共上了十次的計畫報告書給秦惠王，但始終都沒有被採納（說秦王書十上，而說不行）。這時的蘇秦，皮裘也穿破了，帶來的黃金也用光了，生活費用短缺（黑貂之裘敝，黃金百斤盡，資用乏絕），真是「君不見床頭黃金盡，壯士無顏色」，怎麼辦呢？只好乖乖收拾行囊離開秦國回家去了（去秦而歸）。

蘇秦當時失意倒楣落魄到什麼程度呢？他裹著綁腿，穿著草鞋，背著帶去秦國的書籍（書當然不能丟，那是讀書人的資本），挑著笨重的行李，容貌憔悴，面色又黑又瘦，表情羞愧，他無顏見江東父老，硬著頭皮回家（羸縢履蹻，負書擔橐，形容枯槁，面目黧黑，壯有愧色）。回到家裡的時候，太太正在織布，也不停下來去迎接他，照樣做她手裡的工作；嫂嫂也相應不理，不燒飯給他吃，父母一句話也不跟他講（歸至家，妻不下紝，嫂不為炊，父母不與言），他遭到這種冷落，他不怨天，也不尤人，他沒有借酒裝瘋，沒有借酒澆愁，他只嘆一口氣說：「妻子不把我當丈夫，嫂嫂不把我當小叔，父母不把我當兒子，這都是秦王的罪過啊！」他不遷怒，反省自責，都是自己的無能，不被秦王重用，才至今天狼狽的樣子，這是何等胸襟！

蘇秦挫敗並被冷漠對待，俗云「失敗乃成功之母」，我們來看看蘇秦如何從跌倒中爬起來。蘇秦自我檢討，發憤讀書，漏夜把所有書找出來，他在很多書裡找到兵法書《太公陰符》，躲在家裡，伏案誦讀，精心研究，選出書中的重點，並把它搞熟（乃夜發書，陳篋數十，得太公陰符之謀，伏而誦之，簡練以為揣摩），讀到夜裡想睡覺時，就用錐子刺自己的大腿，刺到血都流到腳上（讀書欲睡，以錐自刺其股，血流至足），他這樣苦讀兵書一年，自己有了信心以後，於是他說：「哪有遊說人主而不能讓他金玉錦繡，使他取得卿相尊貴之事嗎（安有說人主，不能出其金玉錦繡，取卿相之尊者乎）？」蘇如復出江湖後，果然以「合縱」之策，取得成功，威勢財富，顯赫一時。

古今中外許多成功的人物，在他艱難曲折的時候，大體都有與蘇秦類同的遭遇，也就是羅伯茲所說的挫敗與被冷落鄙視，但他們都不會負氣自殺，只能忍辱，用千萬個忍字來堅強自己（逆境商數很高），這種人生經驗相信在每個人的心史上，或多或少都有記錄的。人生福禍都很難說，但都必須務實，沒有沉溺於失敗情緒的本錢，更不能失意忘形，唯有如此，才能走出失敗；成功與失敗也不必然對立，所謂「塞翁失馬，焉知非福，塞翁得馬，焉知非禍」就是這個道理。

臺灣的學校教育及父母都習慣教育孩子避免失敗、迎向成功，但其實我們應該教育孩子認清一點：失敗是正常的事情，要習慣與失敗共處。美國大詩人亨利・沃茲沃思・朗費羅（Henry Wadsworth Longfellow）說，年輕的挫折最後其實都是珍貴的禮物；因為在挫敗中，可以看清自己，培養自己的人格。芬蘭是世界上「失敗教育」做得很好的國家，舉例而言，他們教育孩子滑雪的第一堂課，就是教孩子練習跌倒及跌倒之後如何爬起來；教育孩子，其實人生就像滑雪，跌倒很正常，只要勇敢爬起來就好。臺灣的教育其實也要翻轉創新一下，從小也要重視「失敗教育」，讓學生學習面對小失敗，培養學生「輸得起」的品格，因為輸得起的孩子將來更容易成功。曾經為芬蘭貢獻百分之四GDP的諾基亞（Nokia）六年前驟然倒下，上萬員工被迫離職，它的失敗，成就了芬蘭創業潮的推手，赫爾辛基現在是歐洲最熱門的創業城市之一。每年編列預算逾一百七十三億元的高等教育深耕計畫即將上路，我們的教育創新還有一條長遠的路要走，芬蘭的教育創新案例值得我們學習。

原文刊載於二〇一七年七月十八日《蘋果網路論壇》

# 內閣改不改組？流言止於智者

內閣改組的傳聞從未停歇，上週最熱門的政治新聞莫過於外傳臺南市長賴清德九月將接任閣揆，各大報均以大幅版面刊載此則訊息，但賴清德澄清是「錯誤報導」、「顯然是編撰，不是事實」來回應，總統府及行政院也都全部予以否認。

《戰國策》有一則「曾參殺人」的故事，曾參就是孔子的弟子曾子，以孝聞名，力行「吾日三省吾身」的修身內省。曾子住在費邑時，村裡有個和他同名同姓的人殺了人，有人就去告訴曾子的母親「曾參殺了人」，曾子的母親當時正在織布，神態如故堅定地說「我的兒子不會殺人」。不久，又有人來跟曾子的母親說「曾參殺了人」，曾子的母親還是鎮定如故地織布，不予理會。一會兒，又有人來告訴她「曾參殺了人」，這時曾子的母親終於感到不安與害怕，急忙丟下織布的梭子，越牆逃跑（其母懼，投杼踰牆而走），曾子的母親為什麼要急忙逃走呢？因為她可能相信曾參真的殺人了。

憑著曾子那樣的賢能和母親對他的信任，有三個人便能使曾子的母親懷疑曾子，而不能相信自己兒子的清白（而三人疑之，則慈母不能信也），可見流言很容易誤導聽者的判斷，導致錯誤的認知與決定，甚至錯誤的行為，眾口一詞真的可以混淆是非真相，「曾參殺人」的可怕性在於謠言再三重覆，亦能使人信以為真，一旦被濫用誤用很容易造成紛亂。

《戰國策》還有一個類似的故事。戰國時期，魏國有一叫龐恭的重臣，有一年，他奉派陪世子到趙國都城邯鄲當人質，出發前，龐恭對魏王說：「如果有人告訴您，大街上出現一隻老虎，您相信嗎？」魏王回答：「我當然不相信。」龐恭又問：「如果又有人來告訴您，街上果然有一隻老虎，您相信嗎？」魏王說：「我也不相信。」龐恭又問：「如果又有第三個人來說鬧市中有老虎，您相信嗎（三人言市有虎，王信之乎）？」魏王回答：「既然三個人都這樣說，那肯定確有其實，我不得不相信了。」龐恭接著說：「大街上不可能有老虎，這是很明顯的事實，可是經過三個人異口同聲地說街上有老虎，就叫人不得不相信（夫市之無虎也明矣，然而三人言而成虎）。」可見說的人多，縱然傳聞是錯的，以訛傳訛，也會信以為真，真是人言可畏啊！這就是成語「三人成虎」的由來。

龐恭陪世子到邯鄲後，開始有人在魏王面前中傷他，時間一長，說的人多了，魏王果然相信了那些讒言，當龐恭回國時，魏王就不再召見他，也不重用他了，龐恭雖然事先給魏王打預防針，也難逃積非成是，不被重用的命運，可見流言的破壞力有多大啊！

荀子說：「流丸止於甌臾，流言止於智者。」意思是說流動的珠子會被迫停於地面窪陷之地，沒有根據的流言，經不起求證、檢驗與分析，傳到有智慧的人那裡就不會再流傳了；有腦筋的人，會思考判斷聽到的流言是否屬實，如果只是流言蜚語，就不會讓它繼續傳播下去，是謂「流言止息於智者之口」，也就是俗語所說的「謠言止於智者」。

賴清德市長接任行政院院長的傳聞甚囂塵上，媒體一段時間就報導一次，媒體找賴市長問明事情真相，賴市長當然不能承認，因為他能不能擔任閣揆，是蔡英文總統的權力，應由蔡總統來宣布才合乎體制，當事人既已不承認，我們就必須尊重並且相信當事人的說詞，接下來的任務就是「聞流言不信」，閉嘴吧！

《史記・張儀列傳》有言：「眾口鑠金，積毀銷骨。」意思是說眾口同聲，往往積非成是，連金屬都可以熔化，讒言積久，也能顛倒事非，足以銷蝕骨骸，致人於死地，可見輿論之力量有多大。對一個國家來說，要更換行政院長是何等重大與重要的事，一定要謀定而後動，嚴肅以對，不可掉以輕心，輕舉妄動，如今輿論一再報導賴清德將接任閣揆，對現任閣揆與執政團隊之士氣可能已造成影響，因為不知何時真的要內閣改組？人心既已浮動，對政策的推動與規劃難謂沒有造成影響。

春秋末年，周景王想鑄造一口極大的鐘，單穆公與樂師州鳩知道這件事後都極力勸阻，他們認為「大鐘雖然少見，但聲音不一定和諧好聽，重要的是：人民要十分贊成，那聲音才會和諧好聽，如果勞民傷財，造成人民痛苦，那聲音絕對不會和諧好聽，更是沒有必要鑄造。而且人民贊同的，很少不成功的，人民所厭惡的，很少有不失敗的」，這就是《國語》所說「眾心成城，眾口鑠金」的道理，蔡英文總統應懂得「曾參殺人」、「三人成虎」的可怕性，蔡英文總統也應該有智慧判斷現在的內閣是人民贊成的？還是不喜歡的？

原文刊載於二〇一七年八月二日《蘋果網路論壇》

# 讓孩子適性發展，才不致斷送天才前途

伊朗天才女數學家瑪麗安・米爾札哈尼（Maryam Mirzakhani）上個月因乳癌病逝，享年四十歲，她是首位贏得素有數學界諾貝爾獎之稱的「費爾茲獎」（Fields Medal）的首位女性，也是唯一一位女性，她是史丹佛大學數學系教授，史丹佛大學校長為其英年早逝感到惋惜，數學界痛失天才。

費爾茲獎的全名是國際數學傑出成就獎，每四年頒獎一次，每次頒獎給二至四名有卓越貢獻且年齡未滿四十歲的傑出數學家，獲獎難度不亞於每年頒發的諾貝爾獎。米爾札哈尼是三十七歲時獲獎，此獎自一九三六年設立至今共有五十六人獲獎，共有二位華人獲獎，一位是美國哈佛大學教授丘成桐，他每年暑假都回臺交流，舉辦「丘成桐中學數學獎」競賽，鼓勵對數學有興趣的高中學子，他於一九八三年三十四歲時獲獎。另一位是華裔澳洲籍學者陶哲軒，他是加州洛杉磯大學數學系教授，他於二〇〇六年三十一歲時獲獎。

米爾札哈尼生前曾接受訪問，她說小時候原本夢想成為一位作家，直至她唸高中時，因為喜歡解決數學問題，才讓她一頭栽進數學的世界，從此改變了她的人生志向，她說她的父母不強求子女取得成功和成就，為她提供追求學問的良好環境。

宋神宗時擔任宰相積極推行新法「熙寧變法」的王安石，曾寫過一篇〈傷仲永〉，文中敘述神童方仲永，長到五歲，未嘗見過紙墨筆硯等文具，有一天突然哭著要這些文具，他的父親甚感驚訝，就向鄰居借來給他，他立即寫了四句詩句並題篇名，真的是不學而能，一時傳遍鄉里。同鄉里的人對此都感到驚奇，逐漸開始有人以賓客之禮對待其父親，也有人以錢財禮物請他寫詩（邑人奇之，稍稍賓客其父，或以錢幣乞之）；他的父親認為這樣的情形有利可圖，便天天帶著仲永四處拜訪鄉親，沒讓他學習（父利其然也，日扳仲永環謁于邑人，不使學），方仲永因其父短視近利不使學的做法，結果長大以後，才華完全消失與一般人無異（泯然眾人矣）。

方仲永的聰明才智是上天賦予的，他的天賦才華，比一般有才能的人好很多，最後還是成為平常人，那是因為後天受到的培養與教育不夠所致（仲永之通悟，受之天也，其受之天也，賢于材人遠矣，亦之為眾人，則其受于人者不至也）。國際數學奧林匹亞競賽是供全球各地中學生的比賽，米爾札哈尼高中時參加兩次競賽都獲得金牌，臺灣自一九九二年起參加該項競賽，參賽至今統計獲三十七面金牌。今年共獲一面金牌，四面銀牌，一面銅牌，國際排名第九名，這些具特殊數學天分的學生的培養與後續教育，確實很重要，否則再多的神童方仲永再世，最後也是與一般人無異。

臺灣的資優班是許多父母贏在起跑點的第一站，許多父母均以自己的小孩能讀資優班為榮，但是這些資優班的學生，也往往因為父母介入，重視升學，會讓學生盡量參加各式各樣所謂的科學競賽（因為推甄入學可以加分），為了參加競賽，學校老師就會讓學生提前唸高年級的教科書，多做難題或考古題，提升解題速度，強調考試導向的機械學習，這樣揠苗助長的結果，也真的造成了許多「小時了了，大未必佳」的學生，這就是臺灣式的資優教育，反而妨礙了真正「天才」型資優生的發展。

柳宗元著有一篇〈種樹郭橐駝傳〉，文中主角「郭橐駝」是種樹專家，他栽種的樹或移植的樹，都長得高大茂盛，有人想仿效，也都比不上他（窺伺傚慕，莫能如也），有人請教他種樹的方法，他說：「我沒有什麼祕訣能夠使樹木活得長久，長得茂盛，我只不過是順著樹木的本性，讓他的本性盡量發展罷了（橐駝非能使木壽且孳也，能順木之天，以致其性焉爾）。栽種時就像照顧子女一樣，種好後就擺在一邊，不去理它，擔心它，那麼它的天性就可以保全，本性也就獲得發展了（其蒔也若子，其置也若棄，則其天者全，而其性得矣）。」米爾札哈尼說她的父母不強求子女取得成功和成就，其實就是順應女兒的天性，不刻意呵護與強求，因此為她提供追求學問的自然良好的環境，使她得以在數學研究的領域發展有成。

郭橐駝又說：「如果愛護得太殷切，擔心得太過分，早晨去看看，晚上又去摸摸，走開了又回頭去望望，甚至抓破樹皮看看它的死活榮枯，搖動樹根看看泥土的鬆緊，這樣一來，樹木的本性就被耗損破壞無遺了（旦視而暮撫，已去而復顧，甚至爪其膚以驗其生枯，搖其本以觀其疏密，而木之性日以離矣）。」這就是所謂的愛之適足以害之的道理。每個人都有上天賦予的天賦，在教育的過程，其實就是要協助學生發現自己的天分，適性發展學生的天分，這樣的學習才會「不亦樂呼」，否則，強迫學習，「不亦苦哉」。柳宗元的「種樹郭橐駝傳」的寓意，值得家長與教育工作者深思。

原文刊載於二〇一七年八月二十二日《蘋果網路論壇》

# 世大運，魔鬼就藏在細節裡

二〇一七年世界大學運動會八月十九日在臺北舉行開幕式，不幸遭反年改團體鬧場干擾，導致國外參賽選手一度無法順利進入會場，鬧出只有舉旗手繞場的尷尬場面，誠屬遺憾。爭取世大運在臺比賽，得來不易，這事確實是臺灣的大事，是臺灣有史以來所主辦最高層級的國際體育賽事，陳抗團體蓄意擾亂開幕演出，誠屬貽笑國際，更傷害了臺灣的國際形象，身為地主的我們，對國外賓客所受到的些許驚嚇，深感不好意思與對不起，全民對陳抗團體的脫序行為也應給予最嚴厲的譴責。

方孝孺是明初著名的文學家，師承宋濂，明成祖（燕王）軍事政變把明惠帝趕下臺，曾命方孝孺起草「即位詔書」，但被他拒絕，燕王問他：「難道你不怕株連九族嗎？」方孝孺正義凜然地回答：「死就死，即使株連十族，[1] 也奈何我不得，詔書絕不起草（死即死耳，詔不可草）。」後來共八百七十餘人慘遭株連。方孝孺寫過一篇〈指喻〉，大意是講述鄭仲辨先生體態強壯，臉色紅潤，精神充沛，未曾生過病（其容闐然，其色渥然，其氣充然，未嘗有疾也）。有一天，鄭君左手拇指長了小疙瘩而凸起，鄭君感到懷疑而指給別人看，別人看了大笑，認為沒什麼要緊的，三天後，拇指腫起像銅錢那麼大，鄭君更加擔憂，又指給別人看，別人像上次一樣笑他，又過了三天，大拇指腫得可以用手掌滿握（拇之大盈握），靠近大拇指的指頭，都因之而疼痛，好像針刺一樣，全身從外至內沒有一處不痛的（肢體心膂無不病者）。鄭君終於害怕而就醫，醫生說這是一種很奇特的疾病，雖然病在拇指上，但其實全身都有病，若不趕緊治療的話，將會有生命危險。

世大運共有一百三十一個國家代表隊，運動員有七千六百三十九人，隊職員三千七百五十八人，為確保世大運的順利進行，行政院與主辦單位臺北市政府都很重視比賽期間的反恐維安措施，內政部成立中央安全指揮中心，行政院林全院長事前也指示反恐維安務必做到滴水不漏，臺北市警察局局長也信誓旦旦

1 所謂誅十族是指父族四，母族三，妻族二，另加門生一族。

表示維安滴水不漏。但是誠如方孝孺在另一篇文章〈深慮論〉談到：考慮天下大事的人，往往只謀慮他們認為困難的而忽略了容易的事，防範他們認為可怕的而忽略了不值得懷疑的事（慮天下者常圖其所難而忽其所易，備其可畏而疑其所不疑），可是禍害常常發生在他們忽略的事情上，變亂常常發生在他們認為不值得疑慮的事情上（禍常發於所忽之中，而亂常起於不足疑之事）。我們相信政府對於反恐維安的措施都有高規格的準備，都有不可出差錯的共識（困難之事），陳抗團體要到世大運開幕式鬧場，其實是事前大家都知道的事，政府反而認為是容易處理之事，而未防微杜漸，防患於未然，導致發生憾事。

方孝孺其實想要說的是天下的事常常由最小的地方發作，最後卻成為重大的禍患，剛開始認為不值得去注意，最後卻發展到不可收拾（天下之事，常發於至微，而終為大患；始以為不足治，而終至於不可為）。方孝孺強調：大家都能理解注意到的事情，大家就會集思廣益想辦法把事情處理好、解決掉，即便是情勢危險，也不值得過分憂慮畏懼（蓋眾人之所可知者，眾人之所能治也，其勢雖危，而未足深畏），恐攻是大家最在意與最注意的事情，因此，主其事者都挖空心思，絞盡腦汁，務必把防止與預防恐攻的計畫做到盡善盡美，達到滴水不漏；

反之，事情發生在不必憂慮的地方，或者隱藏在不能看到的地方，眾人覺得可笑而疏忽的狀況，才是深深值得畏懼可怕的啊（萌於不必憂之地，而寓於不可見之初，眾人笑而忽之者，此則君子之所深畏也）！陳抗團體只有肉體之軀，無法身懷致命性的攻擊武器，主其事者若用疏忽的態度來看待它，認為禍患不致發生，不必憂慮，也不知畏懼，這是明智的嗎（以為無虞而不知畏，此真可謂智也與哉）？

英文諺語有一句話「The devil is in the details」，翻成中文是「魔鬼就藏在細節裡」，意指一件事最困難的部分，通常是可能被忽略的小細節，計畫中看來無關緊要的小細節，經常被忽略的小事，通常也最容易搞砸、出錯，導致嚴重的失敗後果。這次陳抗團體之鬧場事件，難道主其事者真的考慮得不夠周到嗎？其實人的思慮所能想到、關照到的，都是人事發展本來就會出現的狀況，但是有些事情是主其事者的智力所不及的，那就是天道啊（豈慮之未周歟？蓋慮之所能及者，人事之宜然；而出於智力之所不及者，天道也）！

「三折肱而成良醫」，經歷了這次開幕式的挫折，主其事者應增長了經驗，更應知道缺失之所在，未來若發生類此事件應能處置得宜，但是別忘了事先注意與預防才是長治久安之道。閉幕式在即（八月三十日），我們祝福世大運閉幕式成功順利圓滿。

原文刊載於二〇一七年八月二十八日《蘋果網路論壇》

# 食安問題將成讓執政者傷痕累累的惡魔

芬普尼毒蛋風暴，繼續延燒，似未停歇。本案於六月時在歐洲比利時驗出芬普尼雞蛋後，迄今共有十六個歐盟國家被波及，銷毀之毒蛋逾千萬顆以上，據報導，事件的起因來自荷蘭的養雞場為了除蝨蟲及雞舍消毒，提高雞隻的健康率，疑似使用了被禁止使用的芬普尼殺蟲劑，造成雞舍汙染所致。後來在亞洲的香港及南韓也遭波及，雞蛋也驗出芬普尼，光是韓國封存的雞蛋超過七百萬顆，並緊急從美國進口雞蛋，韓國總統文在寅公開向人民道歉。

食品的種類分為主食（staple food）及副食（non-staple food），一般而言，以提供食用者能量為主要目的食物如米、小麥、玉米等澱粉類食物為主食，其他的蔬菜、肉類、蛋類、水果等食物則視為副食。根據農委會二〇一四年的統計，臺灣雞蛋年產量約六十八億顆，多為國內自行生產，主要產地為彰化與屏東，平均每人每年消費三百顆雞蛋，水煮蛋、荷包蛋、炒蛋等都是餐飲業或自行烹調的現煮即食蛋品，便當裡常見的滷蛋或超商店裡的茶葉蛋則是日常生活經常食用的加工蛋品，其他的蛋製品甜點更是不勝枚舉，國人幾乎是每一到兩天就吃一顆蛋，蛋品的安全衛生管理當然是副食品安全衛生管理的重中之重，其重要性不言可喻。

孔子在《論語・堯曰篇》曾說：「所重：民食、喪祭。」意思是說施政應注意的重點就是人民的生活，民以食為天，然後是重視老人福利，簡單說就是養生送死。子貢曾經問為政之道，孔子說：「要使糧食充足，以解決人民的溫飽問題；要使軍備充實，以抵禦外侮，使社會穩定，人民安居樂業，並使人民對政府信賴，這樣社會才會進步繁榮（足食，足兵，民信之矣）。」這三者其實都很重要，但子貢又問：「如果不得已必須要在這三件事之間少做一件的時候，該先去掉那一項呢（必不得已而去，於斯三者何先）？」孔子說，「先把軍事經費刪掉。」子貢再問：「如果不得已還必須去掉一項的話，在剩下的二項中，又應先去掉哪一項（必不得已而去，於斯二者何先）？」孔子說：「那只好減除糧食了。」自古以來，人都免不了會死，糧食偶爾不足，也還能為國效命，可是人民如果不信任政府的話，那麼政教就無從建立了（自古皆有死，民無信不立）。

古時候以農業社會經濟為基礎的政治，使糧食充足形成國家富有，進一步達到社會安定，然後在安定中實現「養生送死」的王道政治精神，那個時代背景裡，只有饑饉之歲，發生作物歉收，才會造成糧食不足，基本上並無食安問題。今日的工業社會裡，「足食」的問題已不是糧食是否充足的問題而已，在化學物質充斥泛濫的時代裡，讓每個國民吃得安心，免於恐懼，提供民眾安全的飲食環境，已是政府責無旁貸的責任。蔡英文總統曾提出所謂的「食安五環」的做法，誓言維護食安的承諾，言猶在耳，但戴奧辛毒蛋發生未滿半年，接著又發生芬普尼毒蛋事件，為政者對類此事件的處理似顯得一籌莫展。上面的領導人言而有信，老百姓就會信任你（信則民任焉）。民眾對政府處理食安問題是很關注的，「民無信不立」，可不慎乎！

劉基，字伯溫，參贊軍務協助朱元璋統一天下，精通天文兵法的故事，留傳民間，他曾寫過一篇〈賣柑者言〉的寓言性文章，大意是說有一個賣水果的人，擅於保藏柑仔，他所賣的柑，外表看起來光澤新鮮，像玉的質地，金的色澤（出之燁然，玉質而金色），擺在市場上，價格比別人貴十倍，大家還是搶購。買柑的人買到一個，回家後剖開來看，乾得像破棉絮一樣（剖其中，乾若敗絮），於是就問賣柑的人：「你賣給客人的柑仔，是要裝在籩豆裡（盤子），供奉祭祀，款待賓客呢？還是要炫耀它好看的外表，去欺騙愚鈍和瞎眼的人呢？你這樣騙很大，實在是太過份了（若所市於人者，將以實籩豆，奉祭祀，供賓客乎？將衒外以惑愚瞽也？甚矣哉！為欺也）！」

賣柑者笑著說：「我做這個生意多年了，我靠著它來養活自己，我賣柑，顧客買，還不曾聽到有什麼意見，為什麼偏偏你不滿意呢？世界上詐騙的人不少，難到只有我一個人嗎？你只是沒有深思而已（吾業是有年矣，吾賴是以食吾軀。吾售之，人取之，未嘗有言；而獨不足子所乎！世之為欺者不寡矣，而獨我也乎？吾子未之思也）。」接著說，「你看那些官署大員，坐在高堂上，騎著大馬，喝美酒喝得醉醺醺的，肥美的美食吃得飽飽的，享盡榮華富貴，哪一個大員不是表現出崇高得令人生畏，顯赫得令人羨慕呢！但他們又何嘗不是外表好看，內裡草包一個呢！現在這些你都不理會，卻專門挑剔我的柑仔（觀其坐高堂，騎大馬，醉醇醴，而飫肥鮮者，孰不巍巍乎可畏，赫赫乎可象也！又何往而不金玉其外，敗絮其中也哉！今子是之不察，而以察吾柑）！」

選舉政治就如〈賣柑者言〉，每個候選人（賣柑者）選前都向選民做了許多承諾，提出許多願景與治國良方，但執政後面對出現的許多國政問題，有時卻是束手無策，就像賣柑者一樣，盡賣外表很好看，裡面卻完全不能吃的東西。選民就像買柑者一樣，買到不好的柑仔，只能自認倒楣，不能退貨，要退貨只能等到下一次選舉，而賣柑者卻說這世上多的是這種情形，你為何不說他們呢？反而跟我過意不去，專挑我的毛病。臺灣的政治不就是這樣嗎？兩黨都一樣，難怪有人說政治是高明的騙術，一點也不奇怪。

一九七九年臺灣發生米糠油事件（又稱多氯聯苯事件），此事件後，引發社會大眾對食安問題的重視與關心，但是食安問題卻是層出不窮，未曾停歇，近年尤甚。如果做民意調查，問人民最擔心的事情是什麼，食安問題一定名列前茅，我們期待政府要有更嚴格的機制、更嚴肅的態度、更有效率的處理能力面對食安問題，盡速遏止「壞蛋」，食安問題才不會成為執政者傷痕累累的惡魔。

原文刊載於二〇一七年九月一日《蘋果網路論壇》

# 充分授權才能放手做事

行政院長賴清德上任後，推翻前任閣揆林全的決定，幫軍公教人員加薪百分之三，期能解決國內多年薪資停滯的問題，帶動民間企業薪資成長氣氛，盼能增加內需，刺激景氣，帶動經濟成長，此舉也為他贏得掌聲與關注。

「千山鳥飛絕，萬徑人蹤滅，孤舟簑笠翁，獨釣寒江雪」，這首詩〈江雪〉千百年來一直膾炙人口，是人們所熟悉的，它是出自柳宗元之手。柳宗元曾經寫過〈梓人傳〉的政論性人物傳記文章，他藉由讚揚一位梓人（建築工匠，類似今日之建築師），說明宰相輔佐皇帝治理天下的道理。

柳宗元認為梓人蓋房子的方法其實和宰相治理國家的方法很相近，他說梓人把房子的圖樣畫在牆壁上，雖然只有一尺大小，可是房屋的規格結構就已經很完整地勾勒出來，依照圖上的尺寸比例放大即可蓋成大廈，不會有誤差，房子蓋好了，在樑上寫上某年某月某日某人建，寫的就是他的姓名，所有執行工作的工人都不列名（畫宮於堵，盈尺而曲盡其制，計其毫釐而構大廈，無進退焉，既成，書於上棟曰：「某年某月某日某建」，則其姓字也，凡執用之工不在列）。柳宗元認為梓人其實要捨棄手藝上的技術，專心運用心思和智慧，才能夠掌握工作的訣竅與要領（彼將舍其手藝，專其心智，而能知體要者歟）。他說擅長勞心的人，就要負責指揮別人，擅長勞力的人，就要接受別人的指揮，梓人大概就是擅長勞心的人吧（勞心者役人，勞力者役於人，彼其勞心者歟）！

一人之下，萬人之上的行政院長，其實就像梓人一樣，他是屬於勞心的人，屬於有智慧的人，當然負責規劃國家的大政方針，他只要像梓人一樣，善於運用閣員的能力，指揮他們執行國家的政務推動，這個國家就可以治理好，如果治理不好，就是政策沒規劃好，以致政務推動窒礙難行。如果推出的政策藍圖良好，過程的執行也良好，大家都會說這是行政院長的功勞啊！這就好像梓人署名在自己完成的建築物上，而實際動手的工人不列名一樣（猶梓人自名其功而執用者不列也），行政院長猶如規劃國家發展藍圖的建築師，他實在是很重要啊（大哉相乎）！

柳宗元進一步說明，有人說：如果蓋那房子的主人，倘若發揮他個人的小聰明，牽制梓人的計畫，不用梓人世代相傳的技術（意見），迫使他放棄固有的經驗與主張，聽信採納別人的意見，就算不能蓋好房子，難道這是梓人的錯嗎？這就看任用他的人信不信任他罷了（彼主為室者，倘或發其私智，牽制梓人之慮，奪其世守，而道謀是用，雖不能成功，豈其罪邪？亦在任之而已）。賴清德的起手式幫軍公教人員加薪百分之三，這個政策應該是賴揆的主張，因為在七月份林全前院長才說為國家整體財政考量，二〇一八年軍公教不調薪，在不到兩個月的時間內，政策有如此重大改變，顯然賴清德的主張得到蔡英文總統的信任，蔡英文總統用人不疑，應該讓行政院長有充分發揮智慧與能力的雅量，「能者用，智者謀」。

柳宗元認為不能這樣說，他說：當繩墨已經完備，圓規與曲尺也已齊全，高的就不可以硬把它壓低，狹的也不可以硬把它擴寬，照我的設計，房子就堅固，不照我的設計，房子就會倒塌（夫繩墨誠陳，規矩誠設，高者不可抑而下也，狹者不可張而廣也。由我則固，不由我則圮）。如果主人願意不要堅固而要倒塌，那麼我就收拾自己的技術，保留自己的智慧，心安理得自在地離開，勿使自己的主張受屈，這才是優秀的梓人啊！如果為了貪圖財利，容忍而不願意離去，放棄自己正確的設計，遷就而不能堅持，等到棟斷屋塌時，卻說這不是我的錯，這樣可以嗎？這樣可以嗎（其或嗜其貨利，忍而不能捨也；喪其制量，屈而不能守也。棟橈屋壞，則曰：非我罪也！可乎哉？可乎哉）？

其實柳宗元的主張就是梓人規劃既成，若不得主人尊重也當有所堅持，做宰相的也不應該貪戀爵祿，而應該堅持實行正確的政治主張，合則留，不合則去，用之則行，舍之則藏，只是何時該留，何時該去，考驗著每個人的判斷與智慧。

賴清德九月八日就任，迄今剛好滿一旬，政壇有傳言賴清德與蔡英文個性不合（個性怎麼會一樣），其實就軍公教加薪的起手式來看，蔡英文總統展現的是「合」的氛圍，因為那與原來的政策「不合」，未來當然還有許多政策會考驗二人的「合或不合」，我們期待蔡英文與賴清德的新體制能分工分權，通力合作，提出令民心振奮的新政，那才是百姓之福，臺灣之幸！

原文刊載於二〇一七年九月十八日《蘋果網路論壇》

# 為治者不在多言

行政院長賴清德九月二十六日在立法院接受立委質詢時公開表示，「他是務實的臺獨主義者」，「他是主張臺灣獨立的政治工作者」，「臺灣已經是主權獨立國家，名字叫中華民國，不會另行宣布臺灣獨立」，引起政壇一陣波瀾。十月二日舉行的亞洲棒球錦標賽，大陸隊以買不到機票為理由臨時缺賽，為紀念兩岸開放交流三十年的「小三通回顧與展望」研討會，陸方官員及學者也因故集體缺席，賴院長拋出的臺獨主張已然掀起風波，受到大陸某種程度的抵制。

《史記．廉頗藺相如列傳》有記載一則「紙上談兵」的故事。戰國時趙國名將趙奢之子趙括，年輕時學兵法，談起兵事，自認天下沒人能與他相比，因此甚為驕傲，趙括曾與父親談論用兵打仗之事，趙奢也難不倒他（嘗與奢言兵事，奢不能難），但是趙奢卻不承認他有軍事才能，認為他不過是「紙上談兵」而已。趙括的母親就問趙奢原因，趙奢說戰爭是要以命相搏之事，但是趙括把它視為輕而易舉（兵，死地也，而括易言之），假如趙國不用他為將也就罷了，一旦用他為將，那麼將來毀掉趙國軍隊的一定是趙括（使趙不將趙括即已，若必將之，破趙軍者必括也），後來趙括果然代替了廉頗擔任抗秦大將軍，趙括自以為很會作戰，硬是搬用兵書上的條文，完全改變廉頗的作戰方案（悉更約束，易置軍吏），結果在長平之戰中，趙國軍隊兵敗如山倒，趙括被殺，四十餘萬士兵也遭秦軍坑殺，這就是歷史上有名的「長平之戰」。

賴清德院長在國會殿堂的口頭答詢的臺獨言論，其實很像在紙上論打仗一樣，只是空談理論，不能成為現實狀況，一點也不能解決兩岸所面對的實際問題，反而徒增問題，引發兩岸緊張關係及內外部危機而已。

孟子對大國小國之間的外交策略曾提出二大基本原則。有一天齊宣王問孟子，對於鄰國的邦交，有什麼好的策略與辦法，孟子回答說大致上可以分成二種原則，第一個原則是「以大事小」，這是仁者的風範。他說夏朝的時候，湯以亳為都城，地大人多，國力強盛，而另一諸侯葛國，無論領土、人口、財力都不及湯國，但湯國外交上對葛國仍然是尊重的，絕不因自己的國力強盛就去欺凌弱小的葛國；孟子又舉周文王為例，周國對於昆夷犬戎小國經常有粗暴魯莽的侵犯行為，也不忍動武，兵戎相見，以免生靈塗炭，苦了百姓（惟仁者為能以大事小，是故湯事葛，文王事昆夷）。

孟子又提出第二個外交原則「以小事大」，這是屬於明智之舉。他舉越王句踐被打敗之後，對吳國俯首稱臣之史實，認為越國之選擇是明智之舉，後來句踐「十年生聚，十年教訓」終於得以雪恥復國，這是明智之舉的外交原則，也就是自己力量不足之時，就順服強者以圖生存（惟智者為能以小事大，故句踐事吳）。

孟子進一步的闡述，「以大事小」的外交原則是「樂天」的，「以小事大」的外交原則是「畏天」的（以大事小者，樂天者也；以小事大者，畏天者也）。這裡的「天」，南懷瑾大師解解為「天理」，意思是說以大國之尊去配合小國，就是順應「天地生萬物」的樂天心理，不願意欺負弱小；至於弱小的國勢臣服於強國，不敢得罪大國，就是敬畏天理。否則，天地間的定理，不會容許你成功如願的，凡是「樂天」的效法天地的博愛精神，不以強欺弱的大國，就可能四海歸心，可以保有天下，弱小的國家，如果能敬畏天道，服從強國，也可以保住自己的國家（樂天者，保天下；畏天者，保其國）。最後孟子對智者的外交政策引用

《詩經》來支持他的理論，他說，小國必須以敬畏謹慎的心理，因應國際上的大趨勢，把握時間的契機，以維繫自己的生存（畏天之威，于時保之）。

曾子在《大學》一書中提到治國平天下的道理時，特別談到位居上位的領導者與當政者要特別注意一言一行，因為他的一言一行，動輒會影響國家全民的安危，他說，當領導者的話不合道理說出口，別人也會以不合道理的話來回擊你（言悖而出者，亦悖而入），此與所謂「唯口出好興戎」、「禍從口出」都是同一道理。決策者，特別是行政院長那樣影響力極大的人，他在國會殿堂的發言，一呼百應，關係到國家興亡，出言更應小心慎重，否則「一言喪邦」，諒足深誡。

漢武帝即位時，朝中大臣王臧及趙綰推薦他們的老師申公給漢武帝，漢武帝派出使者，帶著綢帛璧玉等貴重禮物，並用安穩的馬車將申公迎接到長安（天子使使束帛加璧，安車駟馬，迎申公），漢武帝向他請教國家治亂的道理，當時申公已八十多歲，回答說：想要國家安治，不在於言詞誇飾，完全要看實際執行成效如何罷了（為治者不在多言，顧力行何如耳），那時候，漢武帝正喜好文字辭令，聽到申公的言論，默然以對（是時，天子方好文詞，見申公對，默然），這就是為治不在多言的典故，語出《史記・儒林列傳》。

從政不在於多說話，單單靠嘴巴是不行的，最重要的是要看實際的行動怎麼樣，賴清德院長上任已經一個月，我們期待賴院長能多提出積極發展經濟的良方，有效改善民生，這才是為政之道，如果只是開支票而沒有政績，那說什麼也沒用，如果提不出政策又不能做事，也不能以「為治者不在多言」來呼攏老百姓。

原文刊載於二〇一七年十月十一日《蘋果網路論壇》

# 謹慎避嫌，公職人員都要多學學

根據報載，今年七月間有四具金屬機具貨物自泰國曼谷報關進口，因X光檢查時有異，疑似藏有海洛因毒品，該批貨物由於是屬於個人進口貨物，照例必須進行「破壞性」查驗，財政部關務署卻在未查驗也無相關人員隨車押運的情況下，允許該批機具送往工廠，其後卻發現四具機具已經不翼而飛，不知去向，上百斤毒品可能因此流入市面。行政院長賴清德表示「事情看起來相當蹊蹺」，他已指示調查，一定讓國人瞭解過程發生什麼事情；臺北地檢署也已緊急分案，由緝毒專股檢察官先行查明瞭解，若查證屬實將依法偵辦；監察委員也已經申請自動調查，深入調查海關查驗貨物之程序是否有重大疏忽、疏漏，可見本案確實是事情不單純。

康熙皇帝玄燁在位六十一年，是歷史上在位最長的皇帝，他擅長書法，對自己的書法也很自負，經常作書頒賜大臣和外國使節，嘗書寫「清慎勤」三大字之匾額賜給巡撫，這三字從此就成為康雍乾盛世官吏的座右銘，也就是所謂的「官箴」，這三個字在清朝應該是出現頻率最高的。呂本中是宋高宗時期的官員，他著有《官箴》一書，本來是用於呂氏家族教育子弟的家訓，但書問世之後，卻廣傳於歷史。書中開宗明義就談到當好官的法則不過如下三點：清廉、謹慎、勤勉（當官之法，唯有三事，曰清、曰慎、曰勤），只要能做到這三點，就可以永保官位俸祿不丟官，可以免受處分的恥辱，可以得到長官的賞識，也可以因受到部屬之敬重與服從而推行政務時容易得到支持（知此三者，可以保祿位，可以遠恥辱，可以得上之知，可以得下之援）。這三個字「清」字最重要，所以居首。當官如果不謹慎、不勤勞，情節輕微者，他的考核考績評定就會較差，情節較重者可能受行政處分，被記過或被降職改敘，但尚不至於有牢獄之災，但若不清（貪官汙吏），輕者可能被免職，重者可能帶來牢獄之災，讓祖宗蒙羞。

柳宗元曾寫過一篇小品文〈蝜蝂傳〉，文中藉由蝜蝂的行為，揭露貪官汙吏的醜惡面目。蝜蝂是一種擅於背東西的小蟲，爬行時遇到東西，總要抓過來（行遇物，輒執取），抬起頭背著它們，背負的東西愈來愈重，即使非常疲累也不停止，蝜蝂的背很粗糙，因此東西堆積上去不會散落，最終被壓倒在地爬不起來，有的人見牠可憐，便替牠除掉背上的東西，可是如果牠還能爬行，就又和先前一樣，看到東西就又扛到背上（苟能行，又持取如故）。蝜蝂有一習性喜歡往上爬，用盡力氣也不停止，直到跌落在地上摔死（又好上高，極其力不已，至墜地死）。

現在社會上許多貪得無厭的人，碰到財物一點也不避諱，決不放過，用以累積增加自己的家產，一點都不知道這樣做會成為自己的累贅，他們擔心的是財富累積不夠多（遇貨不避，以厚其室，不知為己累也，唯恐其不積），一旦有朝一日，疏忽大意，栽了跟頭，被罷官或被貶謫流放到邊遠地區，才覺得痛苦不堪（及其怠而躓也，黜棄之，遷徙之，亦已病矣）。可是這些人一旦有一天重新得勢，東山再起，還是貪婪不已，成天只想謀取更高的官位，拿更多的俸祿，貪取財物更加厲害，以致於面臨從高處摔下來的危險，看到前人因貪財而自取滅亡的例子也不知引以為戒（苟能起，又不艾，日思高其位，大其祿，而貪取滋甚，以近於危墜，觀前之死亡不知戒）。這些人看起來高大魁梧，名義上是人，可是見識卻和蝜蝂小蟲一般，真是可悲啊（雖其形魁然大者也，其名人也，其智則小蟲也，亦足哀夫）！實際上，貪婪之徒無論是對物質的貪求，還是對地位的貪求，最終都沒有也不能給貪取者帶來幸福，反而把他們引向自我毀滅之途，「為名利而刻骨銘心，終身受苦，其愚如牛」。

這次桃園海關疑似誤放毒品事件，「事有蹊蹺」，真相尚待查明，但是如果官員在處理公務時，一開始就警戒自己，秉持「清慎勤」的原則，就可防患錯誤的發生，如果錯誤發生之後才想辦法亡羊補牢，也許最後可倖免於難，但所付出的代價與社會成本也夠大了，與其在事發後靠著聰明才智來補救，不如一開始就老老實實警戒自己不可做，這才是明智之舉，人能若此，難道還會有悔不當初的時候嗎（設心處事，戒之在初，不可不察。借使役用權智，百端補治，幸而得免，所損已多，不若初不為之為愈也）？

古樂府詩〈君子行〉裡面有記載「瓜田不納履，李下不整冠」的詩句，意思是說，從人家瓜田邊經過，即使鞋子脫落了，也不要彎下腰去穿上它，同樣地，在人家李樹下經過，即使帽子碰歪了，也不要抬手整理帽子，因為你蹲下來穿鞋子時，很容易被誤會你在偷瓜，你在舉手整理帽子時，很容易被人懷疑你在偷李子，這都是勸人要懂得避免「瓜田李下」之嫌。

前些日子，民進黨前祕書長與現任某立法委員遭爆料上高級酒吧，民進黨主席蔡英文發表聲明，要求民進黨的公職人員要「莫忘初衷，謹守分際」，莫做出有違社會觀感之情事，事後當事人雖然澄清是純屬男人的聊天，但公職人員進出聲色場所，即使是純喝酒聊天，飲酒地點也應謹慎選擇，避免「瓜田李下」惹是非之嫌。

試想，如果官員都懂得避嫌，許多傷害就不會發生，縱使清者自清，濁者自濁，但是謠言聽多了仍是傷害，畢竟瓜田李下的嫌疑，怎麼樣也不可能使每個人都分辨得清楚啊！蔡英文主席的談話對民進黨公職人員官箴的要求可謂嚴格，我們寄望所有公務人員言談舉止要謹慎，在禍害發生之前就要加以防備，不使自己置身於容易被懷疑與某事相牽連的環境之中（君子防未然，不處嫌疑間），以「清慎勤」為座右銘。做官真的要有官樣，才會獲得百姓的尊敬。呼籲蔡總統：整肅官箴，此其時矣！

原文刊載於二〇一七年十月十九日《蘋果網路論壇》

# 宜蘭縣長一年換三位，沒有違背對縣民的承諾嗎？

行政院已發布人事命令，宜蘭縣原代理縣長吳澤成入閣擔任政務委員兼臺灣省政府主席，代理縣長一職由前中油董事長陳金德接任，十一月六日交接上任，紛擾近月的代理縣長人事傳聞塵埃落定，代理不到一年的代理縣長被調往中央任職，再指派一位新的代理縣長，創下臺灣地方自治史上，一年換三位縣長的記錄。

明朝劉基寫過一篇寓言性文章〈賈人渡河〉，描述濟水南岸有一位商人，渡河時船被水沖翻了，他抓著漂流在水面的浮木，大聲呼救，有個漁夫划著船去救他，船還沒划到他身旁，商人就急忙喊叫說：「我是濟水一帶的大富翁，能救我一命，我送給你百金！」漁夫用船把他載到岸邊，登上陸地後卻只給十金，漁夫說：「剛才你答應給一百金，而現在卻給十金，恐怕不可以這樣吧（向許百金，而今予十金，無乃不可乎）？」商人變了臉色生氣地說：「你是個漁夫，一天能有多少收入呢？現在一下子得到十金，難道還不夠嗎（若漁者也，一日之獲幾何？而驟得十金，猶為不足乎）？」漁夫神色沮喪地離開了。

後來有一天，這個商人沿著魚梁乘船向下游行駛，不幸，船撞到河中的礁石，又翻了船，而當初救他的漁夫正好也在那裡，旁邊有人說：「為何不去救他呢（盍救諸）？」漁夫回答說：「這傢伙就是那個答應給酬金卻不兌現的人（是許金而不酬者也）。」於是只好袖手旁觀，商人就這樣被淹死了。

表面上看，劉伯溫的寓言文章好像在批評那個重財輕信、出爾反爾的富商，但其實故事是在隱喻當時的統治者，言而無信，必將失信於民。失信於民，就會失掉民心，失民心就會失天下，所謂「得民者昌，失民者亡」，古有明訓，是千古不易的真理。民主政治縣長的選舉，其實就是候選人與選民的契約關係，縣長的法定任期是四年，每位候選人在競選期間都是信誓旦旦提出各種政見，並保證當選後在其任期內完成競選期間的政見與承諾，有哪一位候選人敢在選舉期間表示他只要做二年就離開呢？把法定任期做滿不是基本的誠信原則嗎？否則在競選期間的承諾不都是謊話連篇嗎？〈賈人渡河〉一文中的商人，醜惡言行值得撻伐，他最後的結局也是咎由自取，不值得同情；縣長是多數選民支持而當選的，調動縣長職務，當然要問問選民的意見才合理吧！

葉公是春秋時代的諸侯，歷史上有名故事「葉公好龍」，就是有關他的典故。葉公「好龍」成癖，他家中所有的器物上刻著龍，牆上、樑上、柱上到處畫的、雕的都是龍，天上的真龍聽聞了這件事，就來到葉公家裡，把頭伸進窗戶裡探看，把尾巴垂放在外，葉公一看，嚇得臉色發青，拔腿迅速逃跑（棄而還走，失其魂魄，五色無主），由此看來，葉公並非真的喜歡龍，他只是喜歡似龍非龍的東西（好夫似龍而非龍者也），這個故事常用於比喻人說一套，做一套，口是心非。有些政治人物（政黨）成天喊改革，實際上真要他們提出改革建議時，卻又裹足不前，噤若寒蟬，甚至為了個人（政黨）利益，做出的主張與之前侈言改革時相互矛盾，令人真的感到錯愕，這和「葉公好龍」又有什麼差別呢？

《論語・子路篇》記錄了葉公請教孔子為政的道理，孔子說：「為政者應當順應民意，才會贏得人民的擁戴，使遠近之人，都能心悅誠服（近者悅，遠者來）。」在實行民主政治的今天，就是原來支持你的人，仍然死忠地支持你，原來沒有支持你的人，都想回頭過來支持你，這樣執政就成功了，相反地，原來跟隨支持你的人，都紛紛想離開你，投奔另一政黨，原來沒有支持你的人，也沒有考慮回來支持你，這時執政就有問題了。

孟子也談到得到天下的方法，他認為，夏桀和商紂失去天下是因為失去了他們的人民，失去了他們的人民，是因為失去了民心。能得到天下的人民，就能得到天下，要得到天下的人民，要先能得到民心，要如何得到民心呢？這是要有方法的，孟子說：「人民所需要的，執政者要能夠給他們，人民所討厭的，就不要實施（所欲，與之聚之；所惡勿施爾也）。」民主時代，政黨想要贏得選舉，取得政權，首先就是要取得選民的支持，但百姓的支持，並不是甜言蜜語所能長久欺騙，也不是權勢、地位所能脅迫，「力可以得天下，不可以得匹夫匹婦之心」，要之，就是不要違背民意的需求，唯有如此，才能得民心，才能鞏固政權。所謂天下的得失，在於民心的向背就是這個道理。

孟子也說：「將魚驅趕到深水池中的就是那吃魚的水獺，將麻雀趕到叢林中的，就是喜歡食麻雀的鸇鳥，把老百姓趕到商湯、周武王地方去的，就是夏桀與商紂（為淵敺魚者，獺也；為叢敺爵者，鸇也；為湯武敺民者，桀與紂也）。」換句話說，替自己增加勢力的，正是敵人這方面，假定你的對手和敵人都不是好東西，老百姓就自然都站到你這邊來了，執政者只要以民意為施政依歸，具體提出興利除弊的政策，老百姓就會支持你，就如同水往低處流，獸往曠野跑一樣（民之歸仁也，猶水之就下也，獸之走壙也）。

蘇洵在〈張益州畫像記〉談到「民無常性，唯上所待」，意思是說老百姓沒有恆常不變的性情，端看地方父母官對待他們的態度，被選民選任的地方父母官沒有做完任期，無論理由為何，執政者都要體認物極必反、民意如流水的道理而引以為殷鑑；執政者如果力求民隱，傾聽人民的聲音，不懼批評，使人民的言論可以得到宣洩，還會沒有群眾嗎？

原文刊載於二〇一七年十一月八日《蘋果網路論壇》

# 慶富案給執政者的啟示

承包獵雷艦的慶富造船公司，資本額僅五點三億元，打敗臺灣造船公司，搶得三百五十多億元的獵雷艦武器標案事屬奇蹟，後來由於資金不足，向九家金融機構聯合貸款兩百零五億元，據悉慶富聯貸案最初連遭四家銀行拒貸，主要原因是評估慶富財力不足，最後才由第一銀行接手，並在後來發生引起社會議論紛紛的所謂「詐貸案」，事發後，案情如滾雪球般愈演愈烈，延燒至今已一個月，黨（兩黨），政（總統府、財政部），軍（國防部）均牽涉其中，已換掉三個公股銀行董事長，國防部也懲處十八人，其中有三位是現役上將，人民看到一頭霧水，檢調單位已積極偵辦中。

明朝開國大臣劉基曾寫過一篇寓言性的文章〈良桐〉，大意是說工之僑（人名）找到一個優質的梧桐木，將其加工製做成一把琴，裝上琴弦一彈，發出像金鐘玉磬般優美和諧悅耳的聲音，他自認為這是一把天下最好的琴（金聲而玉應，自以為天下之美也），因此便把它拿去獻給主管宗廟祭祀的太常，太常派全國技藝最好的樂師看了一下，樂師說這把琴不是古琴，就把它退回給工之僑。工之僑把琴帶回家，找了漆匠商量，在琴的身上漆出許多因年代久遠而會產生的細微裂紋，又找來雕刻工匠商量，在琴上雕刻了古代的題款文字（謀之漆工，作斷紋焉；又謀之篆工，作古窾焉）。

工之僑之後用匣子把它裝起來埋在土裡，一年以後，他把琴取出，抱到市集上去賣，一個身分高貴的人路過看到這把琴，便用一百兩買了回去，並把它獻給朝廷，朝中的樂師互相傳看，都說這真是一件稀有的珍品呀（稀世之珍也）！

同樣一把用質地優良的木材做成的琴，二次獻給朝廷，得到的評價截然不同，這如同慶富的聯貸案一樣，理論上各公股銀行都有一定的授信與審核程序，依專業判斷來決定是否放貸，結果最初連續四家銀行拒貸，可見這家公司的財務能力是有問題的，因此貸款都碰壁。第二次獻琴所以成功，是因為這把琴得到貴人的賞識，而貴人也只是因被琴的古典外表所吸引，琴的真正價值始終沒有被人認識和發現；聯貸案後來由第一銀行為主辦銀行，慶富公司果然獲得九家銀行聯合貸款，原因是否受到關鍵人物（貴人）的介入施壓，才使得巨額聯貸定案，眾說紛云，不得而知，唯慶富公司的財務狀況絕不可能在極短時間馬上改善，貸款給慶富公司，只是把公司原來的財務問題掩飾而已，直到公司出狀況，問題才被識破。

工之僑聽到這些話以後，嘆了一口氣說這個世界真是可悲啊！這難道只是一把琴的遭遇嗎？其實，社會上很多事情都是這樣的啊（悲哉！世也，豈獨一琴哉？莫不然矣）！慶富案其實也折射出整個社會趨奉權勢的醜惡心理，這樣一個唯貴是尊的社會，只要鑽營，奔走豪門，打通人情，世界上沒有辦不通的事情，但是社會風氣也因此腐朽了，社會還有什麼真理是非可言？

歷代文人描寫清明的詩詞，數不勝數，但能膾炙人口，廣泛流傳，傳誦不絕的當屬杜牧的〈清明〉，「清明時節雨紛紛，路上行人欲斷魂，借問酒家何處有，牧童遙指杏花村」，這首詩境界優美，韻味悠長，景象清新。杜牧是晚唐詩人，與當時的詩人李商隱齊名，人稱「小李杜」，唐朝的詩壇上，有二對「李杜」，另一對是「大李杜」，就是眾所周知的李白，杜甫。

杜牧有一篇散文名作〈阿房宮賦〉，透過對阿房宮宏偉瑰麗的描述，揭示秦朝大興土木，批評秦之奢侈無度，導致民怨沸騰，老百姓「不敢言而敢怒」，最後人民起來推翻了暴政，二世而亡之史實。其實臺灣的政黨輪替，某種程度也是反應老百姓「不敢言而敢怒」的情緒，以選票唾棄貪瀆腐敗，不以民意為施政依歸的政黨。

〈阿房宮賦〉的結論說，「滅六國者，六國也，非秦也；族秦者，秦也，非天下也」，意思是說滅亡六國的是六國自己，亡秦朝者，也正是秦自己。倘使六國都能愛自己的百姓，就能夠抵抗秦國，倘使秦皇也能夠愛六國百姓，那就不只可以傳位到三世，而且也可以傳位到很多世，誰能夠消滅他呢（使六國各愛其人，則足以拒秦；秦復愛六國之人，則遞三世可至萬世而為君，誰得而族滅也）？在民主時代，執政黨要能永續執政，除了要搞好經濟外，一定要堅持不貪婪並且要堅守清廉執政的理念，否則很快就會再被人民用選票唾棄而換人換黨執政，畢竟人民對貪瀆的政權是痛恨至極的。杜牧寫這篇賦，假借秦朝，諷刺唐敬宗，最後他說：「秦國人來不及哀痛自己的滅亡，卻使後代的人哀痛他們；後人哀嘆他卻不以他為借鑑，也只有讓更後代的人再來哀歎他們了（秦人不暇自哀，而後人哀之，後人哀之，而不鑑之，亦使後人而復哀後人也）！」後人看待今天，也像今人看待從前一樣，「後之視今，亦猶今之視昔」，儘管時代不同情況不同，但人們對執政者清廉的要求是一樣的，畢竟「物必自腐而後蟲生」，深深值得執政者警惕與借鏡。

原文刊載於二〇一七年十二月五日《蘋果網路論壇》

# 《勞基法》修正，防民之口，甚於防川

攸關一例一休的《勞基法》部分條文修正草案在十二月四日的立法院委員會混亂中通過初審，進入一個月協商期，這次的《勞基法》再次進行修改，雖然行政院長賴清德強調這次修法沒有改變勞工的權益，但是仍然碰到同黨立委的不同意見與在野黨立委的杯葛，以及勞方團體與青年世代的群情激憤與抗爭，《勞基法》的再修正案，尚未三讀，看來已引發各界不同看法，賴清德院長已指示勞動部全面檢視《勞基法》，盤點相關問題，啟動下一階段修法，或制定一部完整的《勞基法》。

《國語．周語》有一文〈召公諫厲王止謗〉，大意是說周厲王為政暴虐，全國人民都背地裡批評他的政令，召公是厲王的卿士，他提醒厲王說老百姓不能再忍受你的政令了！厲王聽了很生氣，就找來一位衛國的巫師，派他暗中去監視察訪批評他的人，凡是經他告發的，就把他殺掉，從此人民就不敢再多言，在路上相遇，只用眼神示意，表示心中的憤怒（國人莫敢言，道路以目）。

厲王知道後很高興，對召公說：「我能消弭批評我的言論，他們不敢再多說話了。」召公說：「這不過是暫時堵住人民的嘴巴罷了，堵塞人民的嘴巴，比堵塞江河的水還危險，河川水堵塞後，一旦決口潰堤，傷人必然很多，堵住人民的嘴巴，也會有相同的危險（防民之口，甚於防川；川壅而潰，傷人必多，民亦如之）。」所以治理河川的人，要疏浚壅塞，使川水能夠暢通；而治理人民，要使他們的言論可以渲洩（為川者決之使導，為民者宣之使言）。

《勞基法》要規範全國九百多萬勞工的權益，涉及層面極廣，條文的修正本來就要謹慎，不可輕忽。一年內朝野為此法案的修正爆發二次大戰，勞資關係也遭到撕裂二次，第一次修正案後的施行，若發現法令有窒礙難行，執政者體察民意，再提出修正，本來就是天經地義的事，總比罔顧民意，視若無睹，置之不理來得好，這是有責任的執政黨應有的作為，問題是行政院版的再修正案，連執政黨的立委都有不同意見的情況下，為何要立法院如期通過，不留任何商榷的空間，著實令人費解，賴清德院長也許認為既然要再次修法改革舊法，若事事謀於眾人，反而會寸步難行一事無成，倒不如不必附和世俗，顧慮俗人的議論，這種

「成大功者不謀於眾」的態度，也許就種下了這次修法過程引起各界極力反彈的代價。荀子說：「凡百事之成也必在敬之，其敗也必在慢之。」意思是說大凡一切事情的成功關鍵在於恭敬謹慎，失敗的原因都在於輕忽怠慢，這次的修法也許有點躁進，讓人有輕率決策之議。

人民有嘴巴，就像大地有山川一樣，財貨物資都由此產生，也像原野上有肥沃的田地，衣食都從這裡產生（民之有口，猶土之有山川也，財用於是乎出；猶其原隰之有衍沃也，衣食於是乎生）。讓人民講話，國家政事的好壞都從這裡反映出來，是好的就推行，壞的就防範，這是使財富衣食能夠增多的辦法（口之宣言也，善敗於是乎同興，行善而備敗，其所以阜財用衣食者也）。人民心中所想的，從口中說出來，若合理就實行，怎麼可以堵塞它呢？如果堵塞人民的口，這又能堵塞多久呢（夫民慮之於心，而宣之於口，成而行之，胡可壅也？若壅其口，其與能幾何）？

民心的向背左右政治的力量，為政者應當不懼批評，探求民隱，重視和傾聽人民的聲音，老百姓沒有恆常不變的性格，端看政府怎樣對待他們（民無恆性，惟上所待）。這些原本支持民進黨勝選的勞工、年輕團體及盟友，在這次《勞基法》修正案的過程，何以立場有變化？值得執政者深思。政治菁英的謀劃，唯有說服眾議，政務才能順利推行，否則一意孤行，只會自食惡果。

俗語說：「足寒傷心，民怨傷國。」意思是說人民是國家的根本，就像腳是身體的根本一樣，腳部受寒冷，會傷及心肺，影響身體健康，百姓的怨恨會傷害國家，影響國家的發展存亡，這就是「民惟邦本，本固邦寧」的道理，只有根本穩固了，國家才會安寧，魏徵〈諫太宗十思疏〉有云：「怨不在大，可畏惟人；載舟覆舟，所宜深慎。」這句話真可做為執政者的警惕。

原文刊載於二〇一七年十二月十一日《蘋果網路論壇》

# 忠言雖逆耳，在上位者要有度量接受

立法院經濟委員會十二月二十五日審查《礦業法》部分條文修正草案，送到立法院的行政院版部分條文引發外界爭議，甚至被環保團體批評為假改革，環保署副署長詹順貴表示修法的方向是在沒有任何配套的情況下，完全架空環評制度，絕非「首次把環境影響評估最後的許可權交回各部會」如此簡單，而是持續向業者傾斜，更直言如爭議條文真的通過，將首開對《環境影響評估法》及《原住民族基本法》之破窗惡例。

詹副署長從政前是社運出身的著名環保律師，他直言政府與民間公民力量正面對撞態勢越來越明顯，他能做的不多，當初轉換跑道並做政府與公民團體溝通橋樑的使命未變，他希望能力挽狂瀾，繼續當執政團隊中那隻不討喜的烏鴉。

秦孝公重用商鞅為宰相，變法圖強，十年後，秦國的名士趙良去見他，商鞅問他：「你看我治理秦國的成就與五羖大夫百里奚相比誰比較好？」太史公的

《史記・商君列傳》記載了他們的對話。趙良說：「一千頭羊的皮，不如一隻狐狸腋下的皮，一千個人唯唯諾諾，隨聲附和，不如一位知識份子直言爭辯（千羊之皮，不如一狐之腋；千人之諾諾，不如一士之諤諤）。」接著說，「周武王因為能聽群臣的直言，所以使得周朝昌盛起來，商紂王因不能聽群臣的意見，滿朝緘默不言而亡國（武王諤諤以昌，殷紂默默以亡）；你如果不反對周武王的那種做法，那麼我請求整天在您面前說直話而沒有被殺的危險，你做得到嗎（君若不非武王乎，則僕請終日正言而無誅，可乎）？」商鞅很大方地回答他：「俗話說，表面好聽的話如同花朵，中肯實際的話才是果實，聽了使人感到痛苦不好聽的話是治病的良藥，討人喜歡的甜言蜜語是會害人的疾病，你如果能整天在我面前直言，那你就將成為我的良藥（貌言華也，至言實也，苦言藥也，甘言疾也，夫子果肯終日正言，鞅之藥也）。你就有話直說吧！」

詹副署長對問題的本質，看得很清楚，他感嘆《礦業法》真的要這樣修嗎？他把心裡擔憂的國家大事坦言發表於臉書，「憂心悄悄」，躍然紙上，他不怕就事論事，正直見嫉，不怕一般人用各種角度來批評他（不慍于群小），展露讀書人風骨。他的目的無非是希望他執政團隊（自己）的長官能虛心接納他批評自己的相關言論，而不是變成唯我獨尊的一言堂，如此才能真正聽到發自內心的聲音。執政者應開放社會輿論，從善如流，虛心採納諫言，忍受一些辱罵的包容功夫是很重要的，這樣才會有人向你們說出「心內話」及有益的話（良言進）。蔡英文總統及賴清德院長的民調雙雙下跌，固然可能是改革必須付出的政治代價，但改革方向如果是對的，理論上民調應該是上升而不是下降才對。連朱元璋都曾對其大臣說：「治國之道，必先通言路，言猶水也，欲其長流，水塞則眾流障遏，言塞則上下壅蔽。」執政者這種包容的修養功夫是很重要的。

漢朝路溫舒在其〈尚德緩刑書〉一文中曾言，一般人常把真正的言論說成是誹謗，阻止犯錯的言論說成是妖言（正直者謂之誹謗，遏過者謂之妖言），他認為秦朝的儒生不被當時所用，因此忠良懇切的言論都悶在心裡，恭維阿諛的言語天天不絕於耳，虛偽的讚美迷惑了心竅，而現實的禍患都被掩蔽了（故盛服先生，不用於世，忠良切言皆鬱於胸，譽諛之聲日滿於耳；虛美薰心，實禍蔽塞），他認為這就是秦朝失掉天下的原因。唐朝的魏徵是中國歷史上最負盛名的諫臣，其中〈諫太宗十思疏〉是為最著名並流傳下來的諫文表，史書記載他：「有志膽，每犯顏直諫，雖逢帝甚怒，神色不徙，而天子亦為之霽威。」意思是說魏徵神色堅定，毫無懼色，而太宗也都能在緊要關頭控制住脾氣，漸漸息怒，聆聽諫言，唐太宗和魏徵一直被看作是歷代賢君直臣的楷模，他們二人，一個從善如流，一個直言敢諫，他們君臣相得的事蹟，成為流傳千古的佳話。後來魏徵病逝，太宗悲慟至極，對群臣講了一段千古名言：「夫以銅為鏡，可以正衣冠；以古為鏡，可以知興替；以人為鏡，可以知得失。朕當常保此三鏡，以防己過，今魏徵殂逝，遂亡一鏡矣！」可見其受敬重之一般。

孔子曾說：「良藥苦於口而利於病，忠言逆於耳而利於行。」意思是好的藥物雖然味道很苦，但是對患者的病情是有幫助的；忠誠的建言與批評，雖然聽起來不順耳，令人不舒服，但是有利於聽的人改正錯誤的行為或政策，在現實的生活中，人們大都喜歡聽吉利的話、奉承的話，不喜歡聽刺耳的話、忠告的話。忠心正直的言論，雖然聽了會令人難受，英明的長官應該也會聽從，因為他知道這些話可是忠誠的部屬的肺腑直言，這可是可以讓他成就功業的，詹副署長為了國家社會更好，該說的話不說如鯁在喉，可謂用心良苦，他的長官們是否有度量把這些忠言逆耳的話聽進去？

原文刊載於二〇一八年一月二日《蘋果網路論壇》

# 合則留，不合則去

前勞動部政務次長廖蕙芳，自一例一休修法爭議不斷後，十一月時低調地以「個人生涯規劃」為理由請辭，離開執政團隊，她的請辭，當時被猜測可能與行政院堅持《勞基法》一例一休重修草案與她長年站在勞工一方的價值衝突有關，果不然，日前勞工團體反《勞基法》修法遊行落幕後，隨即在臉書公開她對於《勞基法》修法的評論，她認為開放加班時數延長，輪班間隔縮短，以及將原本的「七休一」改為「十四休二」的做法，會造成低薪勞工更辛苦，字裡行間看出來她不挺勞動部的《勞基法》修法，因此才會選擇離開勞動部政務次長的職位。

中國歷史上辭官的人很多，理由也不一，最有名辭官的例子，莫過於陶潛，就是陶淵明（「五柳先生」、「靖節先生」），他出生於沒落的官宦世家，他的曾祖父就是陶侃，「陶侃運磚」的故事大家是耳熟能詳的。陶淵明當過祭酒及參軍等地方幕僚性質的小官，後來出任彭澤縣令，上任八十餘日，上級派遣督郵（檢查縣令政績的官員）到縣裡巡視，陶淵明手下的縣吏跟他說：「上級長官來了，你應該換上官服，恭敬地迎接長官（應束帶見之）。」陶淵明本來就看不慣那些平日倚仗權勢狐假虎威的督郵，長嘆一聲說出了流傳至今的名句：「吾不能為五斗米折腰，拳拳事鄉里小人！」意思就是說我怎能為了這五斗米官俸，而心悅誠服地侍奉那個鄉下小子，隨即辭職而去（即日解印綬而去），結束了官場生活，開始歸隱的日子，並寫下了〈歸去來辭〉以明志之千古傳誦名篇。蘇試曾推崇他，他想做官就出來做官，不認為求官是見不得人的事，想退隱就退隱，不認為罷官是清高的一種行為（欲仕則仕，不以求之為嫌；欲隱則隱，不以去之為高），陶淵明不在乎世俗怎麼看，怎麼評價，古今賢者皆以陶淵明的「真」為可貴（古今賢之，貴其真也）。

張良為漢初三傑（張良、蕭何、韓信）之一，他幫劉邦多次化險為夷，立下汗馬功勞，被劉邦讚為「運籌策帷帳中，決勝千里之外」，為漢初三傑之首，漢朝建立時封為「留侯」，後來他以修道為理由，不再問國事（願棄人間事，欲從赤松子遊），功成身退，千古留芳。李靖是唐初名將，曾率軍大敗東突厥與吐谷渾，位極人臣，他後來罹患腳疾，以「痾疾日侵，腰腳疼疲」為由向唐太宗請求辭官歸鄉，唐太宗特別下詔讚美他是功成身退的典範，他說從古至今，身處富貴而能知足知止者少之又少（自古富貴知足者蓋少），不管是智慧的人，還是愚拙的人，在富貴面前都缺乏自知之明，有的官員，本來就沒有什麼才能，無法勝任要職，卻硬佔據職位，有些人即使身體有病，根本不能辦事，依舊勉為其難不肯辭官（雖疾頓憊，猶力於進），而你卻能「顧大局識大體」，所以我不僅要成全你的美好心願，還要讓你成為一代人學習的楷模（朕今非成公雅志，欲以公為一代楷模），這是辭官還受皇帝讚美的歷史記錄。

范增善計謀，好奇計，曾輔佐項羽稱霸諸侯，被尊稱為「亞父」，後來因為項羽中了劉邦的反間計，逐漸削減他的權力，范增憤而離去，途中背疽發作而死，蘇軾曾寫了一篇〈范增論〉的史論文章，評論范增離去的時機，蘇軾認為范增沒有「合則留，不合則去」，導致「當斷不斷，反受其亂」的苦果。

文章的大意是說，范增起初勸項梁（項羽之叔父）擁立楚懷王之孫為義帝，因此諸侯都服從；項氏的崛起，范增是定計的主要人物，可是後來項羽殺掉義帝，並不是范增的主張，不僅不是范增的意思，而且必定經過力爭而項羽不肯聽從的結果（增始勸項梁立義帝，諸侯以此服從；中道而弒之，非增之意也，夫豈獨非其意，將必力爭而不聽也）。

項羽不採用他的意見，反而殺害他擁立的義帝，項羽懷疑范增和劉邦私通必定是從此開始的（不用其言，而殺其所立，羽之疑增必自此始矣），蘇軾直言，范增此時已經七十歲了，應該合得來便留下，合不來便離開（合則留，不合則去）；范增雖是人中豪傑，但他並未審時度勢，判斷自己的理念是否與項羽相契合，在那個時候即做個明確去留的決定，反而想依靠項羽成就功名，以致最後錯過了最好的時機，抑鬱而終，蘇軾因此批評范增的當斷不斷是一種愚昧的悲哀（不以此明去就之分，而欲依羽以成功，陋矣）！

廖蕙芳從政前是著名勞工律師，曾任臺灣勞工陣線理事長，林全組閣時即任勞動部政務次長，參與《勞基法》「一例一休」的修正，賴清德組閣後，她留任政務次長，但十一月時立法院開始審查「一例一休」的《勞基法》再修正草案時，她即遞交辭呈，請辭而去，走得明快瀟灑，其後並在臉書發表她對《勞基法》再修正的評論，顯然她與當局對《勞基法》「一例一休」再修正的修法理念是不相契合的，「道不同不相為謀」，她審時度勢，當機立斷，她的智慧讓她選擇了「不合則去」。有的政務官，聲名不好，任憑人們笑罵，還是泰然自若，當自己的官，真是「笑罵由汝，好官我自為之」。政務官與上級長官的理念不合，無法實踐自己的政治理想時，選擇掛冠求去，應當給予掌聲，廖前政務次長的辭職，對於今日的從政者，仍不失有啟迪意義。

原文刊載於二〇一八年一月四日《蘋果網路論壇》

# 把低民調全歸因於改革？蔡總統真該虛心檢討了

台灣民意基金會在去年年底公布蔡英文總統的民意調查結果，民調顯示蔡英文總統在二〇一七年全年的總平均聲望為三五．三三％，相較前年的五一．七％大幅降低，有三成六贊同蔡英文的國家領導方式，但約有四十七％的人不贊同；美麗島電子報也公布十二月的國政民調，總統蔡英文的滿意度為二七．一％，其他各家媒體所做的民調結果也都大同小異：民調一直往下跌。特別是年輕及高學歷者，不滿意度更高達近七成。蔡總統的民調持續下跌的原因當然很多，不一而足，但必定與過去幾個月政府所推動的重大政策有關，如推動《勞基法》修法，被批評背棄勞工，推動農田水利會改制為公務機關，被批評為選舉綁樁，推動《所得稅法》修法被批評替富人減稅等，這些政策都與人民利益息息相關，在上位的人若無法體察民情，過於率性妄為，老百姓往往就無法效法遵行，造成民怨四起，這就是亂政。屢屢出現亂政，國家難免會動蕩衰敗（亂政亟行，所以敗也），這可能就是蔡英文總統民調一直往下跌的原因吧！

近來，民怨四起，不禁令人想起《禮記．檀弓》「苛政猛於虎」的故事。有一天孔子路過泰山，有一名婦人在墳墓前哭得十分悲戚，孔子派子路前去關心，子路問她：「妳這樣哭，似乎發生重大事情吧（子之哭也，一似重有憂者）？」婦人回答說：「以前我公公被老虎咬死，後來，我的丈夫也死在老虎口中，現在，我的兒子也被老虎咬死了。」孔子說：「那妳為什麼不離開這裡呢（何為不去也）？」婦人回答：「到處都有苛刻的暴政，只有這裡沒有啊（無苛政）！」孔子對學生說：「你們要記住，苛刻的政治比猛虎還要可怕（小子識之，苛政猛於虎也）！」

柳宗元曾寫過一篇〈捕蛇者說〉的政論文章，大意是說永州一地，有一種特別的毒蛇，毒性極強，但抓到這種蛇曬乾後，卻是一種極佳的藥引，因此太醫奉皇帝之命，廣泛招募能捕捉這種蛇的人，每年徵收這種蛇二次，並規定可以用這種蛇來抵充應繳的賦稅（募有能捕之者，當其租入），永州的人都爭著去做這危險的事情。有一位姓蔣的人告訴柳宗元，他家三代從事捕蛇，祖父與父親都被毒蛇咬到而死，他繼承父業又捕了十二年，幾乎送掉性命也好幾次了（吾祖死於是，吾父死於是，今吾嗣為之十二年，幾死者數矣）；柳宗元問他：「你怨恨捕蛇這種差事嗎？為什麼不換個工作呢？我可以替你去轉告徵稅的官吏，不要你再做捕蛇的差事了，恢復你的賦稅，如何（若毒之乎？余將告於蒞事者，更若役，復若賦，則何如）？」姓蔣的捕蛇人說：「我一年當中，只要冒二次生命危險去捕蛇，就可以換來其餘時間過著安樂的日子，哪像我的鄉鄰們，天天都在為沉重的賦稅而煩惱呢（蓋一歲之犯死者二焉，其餘則熙熙而樂；豈若吾鄉鄰之旦旦有是哉）！」接著說，「現在即使我因為捕蛇而死，比起我的鄉鄰已經算是死得晚了，我怎麼敢有怨恨呢（今雖死乎此，比吾鄉鄰之死則已後矣，又安敢毒耶？）？」

文末柳宗元用孔子的話做結語。他說：「孔子說『苛政猛於虎』，我以前懷疑這句話，現在從蔣氏的遭遇看起來，是可以相信的，唉！誰知道苛刻的賦稅竟然比這種毒蛇還厲害呢（孰知賦斂之毒有甚是蛇者乎）！」無論是《禮記・檀弓》「苛政猛於虎」的故事，還是柳宗元「捕蛇者說」的故事，其實都是告誡主政者，政府的政策與人民的生活息息相關，老虎或毒蛇其實能傷害的人著實有限，而政府的政策如果太嚴厲，人民就會受到傷害，更可能影響許多人民的生計，所以對人民而言，煩苛的政令真的比老虎還可怕。

主政者若要得民心，就要以民意為依歸，改革步驟太大或太急，都容易引起民意反彈，這也是蔡英文總統民調沒有因為改革而得到肯定，反而下滑。孔子說：「為政不應過於寬鬆，也不要太過嚴厲，應當寬猛並濟，政事才可能平和（寬以濟猛，猛以濟寬，政是以和）。」《詩經》也說：「為政要不急不緩，不剛不柔；施政溫和，福祿就有。」只有和諧才能使國家平靜。

蘇軾寫過一篇〈河豚魚說〉的寓言文章，大意是說河裡有一種名叫河豚的魚，有一天，牠游到橋下，撞到橋墩，還不知道離橋遠一點，反而以為橋墩撞了牠而大怒（游於橋間，而觸其柱，不知遠去，怒其柱之觸己也），於是牠張開兩鰓，豎起兩鰭，氣得肚子鼓鼓的浮在水面上，很久不動。這時天空飛來一隻老鷹，抓住牠，把牠的肚子撕裂，把牠吃掉了（飛鳶過而攫之，磔其腹而食之）。河豚喜歡游水而不知停止，因為好游才撞到橋墩上，牠不知道反省自己的錯誤，反而狂妄放肆，大生悶氣，導致被腹裂而死，太可悲了（好游而不知止，因游而觸物，不知罪己，妄肆其忿，至以磔腹而死，可悲也夫）！

蔡英文總統說她知道自己的民調下滑，也知道改革經常會付出民調下跌的代價，她要做過去總統不敢做的事，與不敢付出的政治成本，對於自己民調的低落似不甚在意，蔡總統把自己民調低落的原因歸諸於改革的代價，似沒有虛心檢討改革的過程犯了什麼錯誤才導致支持度降低，並從中得到必要的教訓與啟示，那日後的改革恐怕也會犯同樣的錯誤，導致民意的支持度更下降，就像那隻河豚魚的下場一樣，後悔就莫及了，對蔡總統而言，改革所付出的代價也未免太大了吧！

原文刊載於二〇一八年一月二十三日《蘋果網路論壇》

# 從「阿振肉包」為員工加薪談起

彰化縣鹿港鎮名店「阿振肉包」，五年前員工起薪即已三萬，負責人鄭永豐先生連續兩年為員工加薪百分之二十，最資淺員工薪資今年都有四萬元到五萬元的月薪，老闆除了固定每年加薪之外，也有三節獎金及年終獎金，年資二十年的最資深員工，年薪加獎金近百萬，蔡英文總統看到他幫員工加薪的新聞，特別在民進黨中央黨部接見他，感謝企業響應為員工加薪的政策。

薪水是指員工根據僱傭合約或協議所提供的工作或服務而所得的報酬，是受薪階級支付生活消費的主要來源，能否有儲蓄存款端視收入與支出的平衡，臺灣的受僱員工實質經常性工資報酬倒退十七年，根據二〇一六年行政院主計總處公布的人力運用調查資料，八百九十萬六千名受僱勞工平均月薪為三萬七千零九十四元，月薪低於三萬元者有三百二十七萬人，佔全體受僱勞工的三六·七二％，蔡英文總統曾說出最低薪資三萬元的夢想價，也屢屢在各種場合宣示解決低薪的問題，今年已為軍公教人員加薪百分之三，並期望進一步帶動企業為員工加薪。

企業賺錢，老闆把賺到的錢與員工利潤分享，為員工加薪或加發年終獎金，提高員工士氣與對企業的向心力，這是一種良性循環。想起五十年前，宗族的長輩或兄長到臺北就業，春節返鄉過年碰面時，彼此之間的問候語都是：「你的公司今年大賺哦！老闆『賞』你幾個月的薪水？」那年代好像沒有在問你一個月薪水是多少，基本上薪水當然足以糊口（不然就留在鄉下務農就好了），在異鄉討生活，能省則省，剩餘的錢就儲蓄下來，大家期待的是公司老闆能賺大錢，並願意與員工分享經濟成長的果實。說實在的，如果加薪百分之三，以月薪三萬元之收入，每月的收入增加九百元，年收入也才增加一萬一仟元之譜，不見得有感。老闆一旦薪水加上去，勞健保支出也增加，遇經濟不景氣，調降（回）薪資，有時又難以啟齒向員工說明，這也可能是老闆選擇不加薪的原因吧！因此如果老闆年終能多賞幾個月的薪水，即使只發一個月的獎金，實質所得也可能比每月加薪領得多（零存整付），那才真正實質有感。

宗族的人如果有人說今年老闆加發六個月的薪水，宗族的人都會抱以羨慕的眼光，同時稱讚他的老闆夠慷慨，他的雙親新年紅包就比較豐富；有的人說，老闆只賞一個月的薪水，但後面會語帶評論：「老闆明明有賺錢，但是有點吝嗇，不多發點。」一宗族的晚輩們都期待將來能到那家既賺錢，老闆又慷慨的公司上班，這就是無形的企業形象，這也是老闆善待員工的體現，更是有錢人行善積德的善舉，這是真的有功德的「富好行其德」，政府與其鼓勵企業為員工加薪，不如鼓勵企業能將盈餘與員工分享，年終獎金多發一點，給企業員工過個好年，受薪階級才會更有實質的感覺。

談到「富好行其德」的商人，就一定要介紹中國歷史上的慈善商聖：范蠡。范蠡曾輔佐越王句踐「臥薪嘗膽」，為句踐出謀劃策，滅吳興越，大家耳熟能詳。范蠡後來看透這個人只能同患難，不能共享樂，於是辭書一封，急流勇退，棄高官厚祿，便改名換姓離開越國到了齊國（變姓名為鴟夷子皮），父子在那辛苦創置自家產業，過沒多久，就累積了幾十萬家產，齊國人聽聞他的賢能，便力邀他為宰相，三年後，他歸還相印，把他的家產全部散發給貧苦的老鄉和朋友，攜家捎帶貴重財物，偽裝離開了齊國，來到了陶縣（歸相印，散盡其財，以分與知友鄉黨，而懷其重寶，間行以去）。

范蠡來到陶縣以後，他認為陶縣地處天下之中心，是個從事貿易的好地方，於是父子便在這裡耕田放牧，採買儲存貨物，掌握物價規律，看準時機的買進賣出，用心經營，以最平實的方法賺錢，不是那種有目的的坑人賺錢（乃治產積居，與時逐而不責人），沒過多久，又累積了數以億計的資產，陶朱公的名聲傳遍天下（居無何，則致貲累巨萬，天下稱陶朱公）。

《史記・貨殖列傳》說他在十九年之中，先後三次把家產累積到千金之多，而有兩次把財產分給窮苦的朋友與同族兄弟，這就是所謂的富人容易做好事吧（十九年之中三致千金，再分散與貧交、疏昆弟，此所謂「富好行其德」者也）！後來范蠡老了，就放手讓孩子們做，他的孩子們繼承他的事業，發展到家產上千億，所以人們提到富豪就總是要提「陶朱公」（子孫修業而息之，遂至巨萬，故言富者皆稱陶朱公）。

范蠡是歷史上棄政從商的鼻祖和開創商以致富的典範，他的財富不是繼承祖業，也不是世襲爵位俸祿而來，而是靠自己的勤奮與智慧，抓住時機，誠信經商，不求暴利，日積月累而致富，更難得的是范蠡在致富後，不貪戀錢財，樂善好施，慷慨回報社會，司馬遷稱其「富好行其德」，他是我國儒商鼻祖，後代許多經商的人皆供奉他的塑像，稱之為「文財神」（武財神是關公）。

司馬遷〈貨殖列傳〉為許多卓越的工商業者立傳，他肯定追求物質利益，追求財富是人的天性，無需學習都想得到，是與生俱來的欲望（天下熙熙，皆為利來；天下壤壤，皆為利往）（富者，人之情性，所不學而俱欲者也）。什麼行業都可能發財，財富也不是說一定永遠屬於誰的，有本事的自然會發財，沒本事的自然就是站不起來（富無經業，則貨無常主，能者輻湊，不肖者瓦解），經商致富的人，除非是不擇手段，官商勾結，刻薄狠毒，為富不仁，應當被這個社會所敬重，這個社會不應有仇富的心態，因為那是靠著他們的智慧，克服多少艱辛萬苦，勤奮努力得來的，畢竟無商不艱啊！不然，有本事你去做看看。我們也希望經商致富的人，也能見利思義，多一點仁慈心腸，在考慮自身的財務條件與經營狀況之同時，也應深思如何使員工有相當的收入水平及工作的穩定性並提供符合人權的勞動環境，因為這是最根本的企業社會責任（corporate social responsibility, CSR）。

原文刊載於二〇一八年二月六日《蘋果網路論壇》

# 天增歲月人增壽

再過兩天就要過新年了，雞年即將過去，但馬上又是另一年春天的開始，貼春聯是我國春節傳統的習俗，突然想起小時候貼過的一幅春聯「天增歲月人增壽，春滿乾坤福滿門」，這幅春聯據聞是乾隆皇帝在位時所作，歷史學家說乾隆一代內政可說是昇平盛世，這對春聯頗能反應當時現實狀況。

這幅春聯最重要的二個字是「壽」與「福」，新年來了，宇宙自然增加了一歲，人的歲數當然也遞增了一歲，但是人的生理卻有著不同的變化（歲歲年年人不同）；開春了，天地間充滿春的氣息，而福氣也充滿家中。我們給老人祝壽的時候，最常用的賀詞就是「福如東海，壽比南山」，意思就是祝福老人家福氣像東海的水一樣浩大而綿綿不盡，壽命像終南山一樣長久。平均餘命為衡量一個國家基本健康及社會福祉的重要指標，其中零歲的平均餘命也稱為平均壽命，根據內政部二〇一六年的統計，我國全體國民的平均壽命為80.2歲（男性為76.8

歲，女性為83.4歲），這幅春聯的作者乾隆皇帝是歷史上最長壽的皇帝，他享壽八十九歲，比我們現在的平均壽命還要長，可謂福壽雙全，乾隆皇帝到了晚年，還自稱為「十全老人」呢！這十全當然包括福與壽雙全。

鼂錯是漢景帝的智囊，他曾向漢景帝提出「通曉社會事理」的治國之策，簡單說就是施政的大原則要滿足眾生的心理，國家制定法令，務須符合人情而後執行才不會有阻力（其為法令也，合於人情而後行之）。眾生的心裡想要什麼呢？鼂錯說：「第一要長壽，要活得好，活得長；第二要富有，要有錢，要幸福；第三要平安，平安就是福；第四要享受（人情莫不欲壽；人情莫不欲富；人情莫不欲安；人情莫不欲逸）。」長壽、富有、平安、享受，有哪一個人不要呢？有哪一個人不追求呢？眾生想要得到的，還是脫離不了福壽的範圍。

「五福臨門」是家戶喻曉的成語，春節的時候，大家也都喜歡祝福您「五福臨門」，但是你知道「五福」是指哪五種福嗎？「五福」源自《書經》：「一曰壽、二曰富、三曰康寧、四曰攸好德、五曰考終命（善終）。」有人簡稱為「壽富康德善」。第一福「長壽」，是命不夭折而且福壽綿長；第二福「富貴」，是錢財富足而且地位尊貴；第三福「康寧」，是身體健康而且心靈安寧；第四福

「好德」，是生性仁善而且寬厚寧靜；第五福「善終」，是臨命終時，無遇橫禍，身體無病痛，安祥離開人世，五福之中，最重要的是第四福「好德」，因為德是福之本，福是德之果，敦厚純潔的「好德」可以培植其他四福，使之滋長。

孔子曾說過一個快樂老人的故事，我覺得很有意思。有一天孔子到泰山遊覽，路過郕這個地方的郊外，看見一名叫做榮啟期的老人，身上披著鹿皮，腰裡繫著一條帶子，邊彈琴邊唱歌，自得其樂，孔子就問這位老先生：「請問您為什麼這麼開心呢？」老先生回答說：「我高興的事太多了（吾樂甚多），天生萬物，人是萬物中最尊貴的，而我生而為人，一樂也（天生萬物，唯人為貴，而吾得為人，是一樂也）。」

「男女之間，男尊女卑（古代的觀念，已不符合乎現代思想），我生而為男人，二樂也。有的人在母親胎裡就死了（胎死腹中），有的生下來不久就死了（早夭），而我活到九十歲了，三樂也（人生有不見日月，不免襁褓者，吾既已行年九十矣，是三樂也）。讀書人很多都是過著貧寒的生活，死亡是生命的終點，到了死亡的時候，就是回到休息狀態（在睡長覺，長眠不起），有生必有死，有什麼好怕的呢（貧者士之常也，死者人之終也）？安貧樂道，生死順其自然，又怎麼會有憂愁煩惱呢（常處得終，當何憂哉）？」

我們在紅塵裡的人，對於幸福的追求，有的一味追求，永無止境，不知順其自然，有的甚至為了爭取更大的權力與更多的財產，反而更加奔波酬酢，以致造成很多的憂愁與煩惱，當然就沒閒功夫享福，這叫身在福中不知福，這是人類的通病，有了福氣的卻享受不了，沒有福氣的卻想享受。新的一年即將開始，但願我們能智慧大開，做個能自我解脫煩惱的人（能自寬者也），遇事盡力而為，隨遇而安，這樣才可以享受清淨之福，這也是另一種福報。最後衷心地敬祝讀者「平安喜樂」、「五福臨門」。

原文刊載於二〇一八年二月十三日《蘋果網路論壇》

# 節哀順變，為國珍重

蔡英文總統母親張金鳳女士於三月三日下午於家中安祥辭世，享壽九十三歲。總統府發布新聞稿表示，蔡老夫人子女考量她一生簡實低調，家屬決定秉持老人家心意，身後事宜一切從簡，不設靈堂供公開追思弔唁，不舉行公祭，並婉辭花籃奠儀，朝野各黨派政治人物均希望蔡總統能節哀順變，為國珍重。

根據內政部二〇一六年的統計，我國全體國民的平均壽命為 80.2 歲（男性為 76.8 歲，女性為 83.4 歲），蔡總統母親享壽九十三歲，與我國女性之平均壽命相比足足多了十歲，算是相當高壽，可謂福壽雙全。杜甫的詩句「人生七十古來稀」，是指七十高齡的人從古以來就不多見，這個說法雖然不適用於現在，但我們要知道，平均壽命是隨著社會經濟發展與醫藥衛生進步逐漸增加的，臺灣地區在一九五〇年時女性的平均壽命僅有 55.69 歲，一九七〇年增為 71.56 歲，一九九〇年為 76.75 歲，二〇一〇年為 82.55 歲；唐朝的平均壽命可能四十歲都不到，因此在古代要享有高壽可真不容易，這也難怪杜甫要寫出「人生七十古來稀」的詩句。

我國古代常把鶴視為長壽的象徵，因此輓聯裡常把尊長或高壽的人辭世婉稱為「駕鶴西歸」，這是祝福往生的老者，修煉圓滿，無牽掛地往西方極樂世界歸去的意思。談到「鶴」或「駕鶴」就得提到唐朝詩人崔顥所作的〈黃鶴樓〉一詩：「昔人已乘黃鶴去，此地空餘黃鶴樓。黃鶴一去不復返，白雲千載空悠悠。晴川歷歷漢陽樹，芳草萋萋鸚鵡洲。日暮鄉關何處是？煙波江上使人愁。」這首詩四、五年級生應該可以朗朗上口。這首詩極為歷來所推崇，因此被收集在《唐詩三百首》七言律詩第一首，據傳李白大詩人登上黃鶴樓後原想題詩一首，但看到崔顥的〈黃鶴樓〉一詩後，為之讚嘆，直說：「眼前有景道不得，崔顥題詩在上頭。」無作而去。

筆者是公共衛生領域學者，因此對死亡年齡較為敏感，我常在課堂上跟學生開玩笑說：「如果有一天老師往生，學系網頁上的訃聞通告，你們首先要看的是訃聞顏色，顏色與往生者的年齡有關，六十歲以下者通常用白色，六十歲以上者用粉紅色，九十歲以上者用紅色；其次看『享年』幾歲還是『享壽』幾歲，不滿六十者用享年幾歲，六十以上用享壽幾歲，如果高於九十歲以上就稱享耆壽幾歲，老師期望至少活個平均餘命的歲數，但是生死有命，能活幾歲不是我可以決定的，有生必有死（生者，理之必終者也），到了該死的時候就不能不死（終者不得不終），就像到了該生的時候不能不生（亦如生者之不得不生），這個是因果的力量，你們對於老師的往生，不必為我悲哀與感嘆，只要祝福老師一路好走就好了。」

儒家思想一向重視慎終追遠，曾子說：「慎終追遠，民德歸厚矣！」「慎終」的意思就是以敬慎之心辦理父母的喪事（喪葬之事），「追遠」就是以不忘本之心祭拜列祖列宗（祭祀之事）；《孟子・離婁》說：「養生者，不足以當大事，惟送死者可當大事。」意思是說做兒女的奉養父母，是盡孝道，此乃人倫之常，還不夠算是大事，惟有給父母送終，才可算是大事，因此養生是孝親之始，送死為孝親之終，有始有終才是難能可貴，因此孟子特別強調送終之重要。

《論語・為政》記載孟懿子問孝的故事。孟懿子問孔子孝是什麼？孔子回答：「不要違背『無違』。」樊遲為孔子駕車，孔子告訴他：「孟懿子向我問孝，我回答說『無違』。」樊遲問：「這是什麼意思呢？」孔子回答說：「父母在的時候，要對他們有生活上的照應與愛護，死的時候，要依照禮節祭祀他們（生，事之以禮。死，葬之以禮、祭之以禮）。」儒家重視喪禮（葬之以禮），這個禮字是中國文化中很重要的基本概念，要之，其實是希望為人子女者對父母之喪事，盡到哀戚之情，後世盛行厚葬其實與儒家「慎終」的原意相去甚遠。蔡總統的家人決定尊重蔡老夫人的心意，身後事宜，一切從簡，其實也是「無違母願」，也是孝的表現。曾文正公說：「風俗之厚薄奚自乎？自乎一二人心之所嚮而已。」蔡總統能這樣做，民風或可趨於淳厚。

老死壽終，自然之規律，還望蔡總統抑制哀傷，順應變故，節哀順變，以禮制情，勿憂思過度，請為國珍重。

原文刊載於二〇一八年三月六日《蘋果網路論壇》

# 清明時節雨紛紛

再過幾天，清明節就要到了，大家一定想起「清明時節雨紛紛，路上行人欲斷魂。借問酒家何處有？牧童遙指杏花村」這首詩，這是唐朝杜牧的〈清明〉詩，千古傳誦。清明節是家人團聚或上墳掃墓的時節，杜牧這首詩其實就是道出了本來應該和家人團聚的人卻仍在外忙碌，可是心中依然悼念著去逝親人，悲思愁緒，無限感傷的思鄉之情。

清明節是從「清明」這個節氣演變而來，「清明」是中國曆法中二十四個節氣之一，是根據該節氣時的氣候變化與農業生產的特點而起，時間在「春分」之後的十五日，約在國曆四月四日至六日三天中的一天。這時節，天氣晴朗，清爽明淨的風吹來（清明風至），和風拂拂，所謂「吹面不寒楊柳風」是也，是踏青的好季節。萬物在這個時段的生長，都欣欣向榮，清潔而明淨，所以叫做「清明」，在這個節氣裡，到處都是繁忙的春耕景象。在二十四個節氣中只有「清明」與「冬至」這二個節氣演化成「節日」，所謂節日通常有某種風俗習慣或紀念意義，民間一直流傳著在清明節要祭祖掃墓的風俗。清明節也叫民族掃墓節，這是民國二十四年時國民政府所明定的國定假日。清明節與春節、端午節、中秋節並列華人四大節日，也是「祭祖四大節」之一，通常在這些節日裡，會有全家團聚共度節慶的習慣。

掃墓是為祖先墳墓維護、修整並清潔整理環境的祭拜活動，用意在慎終追遠，思念祖先，提醒後代子孫要飲水思源，「吃果子拜樹頭」，同時聯絡族人，有子孫團聚之意。自古以來，人往生後，要請堪輿師擇卜墓址，其實是大家相信如果葬到了風水寶地，可使後代子孫興旺發達，雖然有點迷信，但是大部分的人就是相信，因此大家對祖墳的看護就相當認真，墳上的一草一木都要依時（清明或大寒）才可動，不可隨意變動，因為這事攸關家運與風水，所以自古以來，人們最害怕祖先墳墓被破壞或遭挖，這會犯了風水大忌。

《史記・田單列傳》太史公記載田單復國的過程。簡要地說，田單在燕國橫掃齊國，齊國僅僅剩餘莒與即墨二城之際，田單臨危授命，被推為即墨城守將，帶領即墨城殘兵，巧用智謀，出奇制勝，擊敗燕國，使齊國轉危為安。以「奇」

制勝，指的是田單在即墨城收集了一千多頭牛，用紅綢子把牠們披掛起來，綢子上面都畫著五彩的龍紋，牛角上綁著銳利的尖刀，尾上繫上澆油的蘆葦，然後用火點燃，牛尾起火，並以五千勇士，隨其後衝殺，牛受到驚嚇後猛衝向燕軍，大敗燕軍（田單乃收城中得千餘牛，為絳繒衣，畫以五彩龍文，束兵刃於其角，而灌脂束葦於尾，燒其端。夜縱牛，壯士五千人隨其後。牛尾熱，怒而奔燕軍，燕軍夜大驚）。這就是田單大擺「火牛陣」挽救國家危亡的故事，這個故事是戰國時期一大奇事，我們小學就讀過這個故事。

田單的另一戰術值得一提。田單故意散布消息說：「我們最怕燕國人挖掘我們祖先的墳墓，侮辱我們祖先的屍骨，如果那樣，我們可就嚇壞了（吾懼燕人掘吾城外冢墓，僇先人，可為寒心）。」燕軍信以為真，隨即把即墨人的祖墳全部掘開，並把骨頭挖出來用火燒，即墨人從城上望見這種情景，個個痛哭流涕，都要求出城與燕軍決一死戰（皆涕泣，俱欲出戰，怒自十倍）。自古以來，普遍認為護墳不力，有辱先人，事屬不孝，祖先的墳墓被破壞更會影響子孫後代發展，田單就是利用這個心理戰術，故意挑動燕軍挖掘即墨人墳墓，以激起軍民同仇敵愾，義無反顧的決心，其中的道理是令人深省的。二月二十八日獨派青年團體闖進慈湖，到蔣中正總統陵寢潑紅漆抗議，現場一片狼藉，引發社會各界撻伐，許多命理專家直言，破壞人家祖墳是個大忌，會受報應。姑且不論將來是否真的會有報應，破壞人家祖墳就是辱及人家的祖先，這個行為無論其動機為何，本來就屬不當，這些年輕人可能因此要面對法律責任。

清明節即將到來，家家戶戶會掃墓祭祖，以示對祖先的懷念之情，這是慎終追遠的表現，其實祭拜祖先時，我們常將自己的成就歸因於祖德的庇佑（善必歸親，褒崇先祖），歐陽修寫過〈瀧岡阡表〉一文，追憶其父的孝順仁厚與母親的賢淑儉約，文中有言：「為善無不報，而遲速有時，此理之常也。」意思是說做好事沒有不得到好報的，只是有快有慢而已，這是正常的道理，歐陽修借此句話說出自己因為先祖的積善成德，才能有現在的榮華地位；臺灣的墳墓上常看到「祖德留芳」的字句，某種程度蘊藏的價值觀就是祖先要有祖德才能庇蔭後代，這也是《易經》所說：「積善之家，必有餘慶。積不善之家，必有餘殃。」的道理，這項天理昭彰，「善惡之報，至於子孫」的思維深植於中國人心中，清明掃墓是給我們一個反思的最好機會，以求進德修業，自我省思砥礪，無愧祖先在天之靈，這也是人生趨吉避凶的最佳良方。

原文刊載於二〇一八年三月三十一日《蘋果網路論壇》

# 勿讓連續假期塞車的噩夢再上演

清明連續假期國道大塞車，國道很多路段猶如大型停車場，堪稱是「史上最塞清明連假」，交通部長賀陳旦前往蘇花改視察，也因塞車延誤五十分鐘，他指出，若是私人行程，他會與家人事先規劃走替代路線，一起體驗欣賞蘇花的山海美景，不領情的網友批評他的發言是晉惠帝。

晉惠帝是誰呢？他的名字叫司馬衷，是西晉的第二位皇帝，他的父親叫司馬炎，就是晉武帝。晉惠帝是個十足的愚癡，智商比起扶不起的劉備的兒子阿斗還差得遠，後世嘲笑他叫「蛤蟆皇帝」（帝，為人戇騃）。有一次在華林園遊玩，聽到青蛙在叫，就問隨從這青蛙是別人命令牠們叫的，還是牠們自己高興叫呢（嘗在華林園聞蝦蟆，謂左右曰：此鳴者，為官乎、為私乎）？弄得左右啼笑皆非。當時天下鬧饑荒，大臣們都上奏說很多老百姓餓死了，惠帝問為什麼餓死人，大臣說因為沒有飯吃，這位蠢皇帝竟然問：「沒有飯吃，那為什麼不吃肉末稀飯（肉粥）呢？吃肉粥也不會餓死呀（時天下荒饉，百姓餓死，帝聞之曰：何不食肉糜）！」百官聽了傻眼。司馬衷不食人間煙火，不恤百姓疾苦，「何不食肉糜」這一句驚人之語，千百年來被人所嘲笑唾罵。五天連假，無論出門遊玩或掃墓，卻塞車塞到大家一肚子氣，賀陳旦部長卻說若是私人行程，他會走替代路線，說這些風涼話，對交通阻塞問題的解決一點幫助也沒有，反而讓人民覺得有「何不食肉糜」的心態。俗云：「欲知心腹事，但聽口中言。」俗語也說「禍從口出」，身負國家交通管理重任的交通部長，攸關交通阻塞的一言一行，都會引起關注的。

司馬衷有驚人之語，其父司馬炎也有驚人之舉，正史有記載，順道一提。晉武帝好色，後宮佳麗據說總在萬人之上，晉武帝退朝後，難分專寵，不知要找哪個宮妃臨幸，他想出一個辦法，就是乘坐羊車，讓羊車在後宮嬪妃的住所隨處走動，羊車在哪裡停下來，他便下車留宿在那宮妃的宮中，飲酒作樂臨幸她（帝莫之所通，常乘羊車，恣其所之，至便宴寢）。後來宮妃們為了能獲得晉武帝雨露的恩寵，都想方設法投羊之所好，在宮門外插上青竹枝，又用鹽汁灑地，以便把羊隻吸引過去（宮人競以竹葉插戶，鹽汁灑地，以引帝車），後來每個宮妃都如此仿傚，這個辦法就不靈了。晉武帝這樣經常「日事遊宴」，自然就「怠於政事」，不為國家正事，又傳位給癡呆皇帝司馬衷，晉室王朝亂七八糟，不亂才奇怪，最終引發了「八王之亂」，也揭開了「五胡亂華」的序幕。

民眾怨聲載道的塞車問題，當然是交通部的責任，塞車問題不是今年才有，往年的連續假期也都發生過，只是今年特別嚴重，是史上最塞爆、最惹民怨的清明假期，交通部沿用過去的交通管理措施，顯然已不符實際管理需求，有通盤檢討之必要，否則以後連續假期塞爆的夢魘會再來。《中庸》有云：「凡事豫則立，不豫則廢。」這是說做任何事情都要有前瞻性，早做準備，而要做到這一點，就必須對事務有深入細微的瞭解，對其發展有準確明晰的判斷，凡事確定計畫，防患未然，才不會遭遇太多太大的困難（事前定則不困）。交通部做為交通運輸的主管官署，很顯然在此次清明連假的輸運管理方面事先沒有預備周詳，甚至嚴重低估嚴重性，以致民怨四起，勞而無功的窘境，過去管理的缺失全都暴露出來，窘態畢露，尷尬難堪。

《詩經・豳風・鴟鴞》說：「有一種叫做鴟鴞的鳥兒，很會築巢，牠們會趁著風雨還沒來的時候，就把柔韌而帶有濕土的桑根皮啣來，纏結修補巢上的通道，使其穩固，以防風雨來襲時，把窠巢弄壞，這樣及時的防患，那些在樹下的人，又有誰敢來欺侮牠們呢（迨天之未陰雨，徹彼桑土，綢繆牖戶。今此下民，或敢侮乎）？」這就是成語「未雨綢繆」的典故。孔子讀了這首詩，讚嘆：「做這首詩的人，他已深知治理國家的原則與方法，一定要用防患未然之道，如果能用這個道理治理國家，誰還敢來侵略欺侮他們呢（為此詩者，其知道乎！能治其國家，誰敢侮之）？」

《論語・衛靈公》，子曰：「人無遠慮，必有近憂。」一個人無論做什麼事情如果沒有長程的規劃和考慮，一定會有近在眼前的困難和憂患，小而言之，個人是如此，大而言之，國家的政務亦然。今日的近憂（塞車）一定是過去缺乏遠慮的結果，今日的缺乏遠慮，也會造成日後近憂的原因。我們期待交通部的官員們，應由此次塞車的民怨中，即時把握住這個機會，痛定思痛，徹底檢討現有管理措施的優點與缺點，利弊與得失，有所做為，是該拿出辦法解決問題的時候了，不要讓連續假期塞車的噩夢再上演。

原文刊載於二〇一八年四月九日《蘋果網路論壇》

# 老吾老以及人之老

根據世界衛生組織的定義，六十五歲以上老年人口佔總人口比率達到百分之七時稱為「高齡化社會」，達到百分之十四時是「高齡社會」，若達到百分之二十則稱「超高齡社會」，內政部在四月十日表示，臺灣地區六十五歲以上的老年人口佔總人口比率於三月底時達到一四．〇五％，臺灣正式宣告邁入「高齡社會」，如何維護高齡人口的生活品質與尊嚴，以及因應老化社會帶來的青壯年照顧及扶養負擔加重的問題，已然是政府施政問題的重中之重。

我國傳統文化向來很重視老人福利，敬老尊賢、恤老憐貧都是優良的傳統美德。孟子政治哲學的最高理想是以大同世界為目標的王道政治，他曾向齊宣王推銷仁政。簡單地說，就是先敬重每個人自己的父母長輩，然後推而廣之，同樣敬重別人的父母長輩；每個人都愛護自己的子弟，然後擴而充之，同樣愛護別人的子弟，這就是孟子主張的「老吾老，以及人之老；幼吾幼，以及人之幼」，這句話其實簡單說就是推己及人的意思，也是孟子心中理想的社會。這與《禮記・禮運》大同世界的理想境界「使老有所終，壯有所用，幼有所長，鰥寡孤獨廢疾者皆有所養」的思想是一脈相傳的。

孔子心中的理想社會《論語・公冶長》也有記載。有一天顏淵和子路站在孔子旁邊閒談，孔子就說：「何不談談你們的願望與志向呢？」子路說：「我希望我很有錢，我願意拿出自己的車、馬、衣服、皮裘與我的朋友共用，就是用壞了也不會抱怨（願車馬衣裘，與朋友共，敝之而無憾）。」真有豪俠之氣，夠氣魄。顏淵說：「我願意不誇耀自己的才能，自己認為勞苦的事，也不交給別人（願無伐善，無施勞）。」孔子聽完，還沒說話，子路就忍不住的發問：「老師，你的呢？」孔子說：「老者安之，朋友信之，少者懷之。」孔子的志向是，願社會上的老年人，無論是精神或物質方面，都得到安適的奉養；社會朋友之間能夠互相信任，以誠信交往；年輕人永遠有偉大的懷抱，這個社會也要永遠關懷年輕的一代，孔子心中的理想社會將「老者安之」列為首要。

關愛我們身邊的老人，最簡單可以做到的，就是從自己做起，從身邊做起，那就是盡孝。首先，我們做子女的人，對父母的年齡不能不知道，為什麼呢？「

方面是知道父母的年齡多了一歲，為父母的年壽綿長而感到高興；另一方面，也害怕父母年歲越高，形體日漸衰老，距離人生的終點越近，自己承歡膝下的時間也越短（父母之年，不可不知也；一則以喜，一則以懼），所以盡孝要即時，父母俱存，天倫之樂，是人生至樂，這不是人的能力可以勉強得來的，要特別珍惜，否則「樹欲靜而風不止，子欲養而親不待」，總是人生的遺憾。

一般人以為只要給父母住最好的、穿最好的、吃最好的，就算是盡孝道，其實那只能稱「養」父母，算不上「孝順」父母。孔子曾說：「現在的人不懂孝，以為只要能養活父母親就是孝，然而，就算是狗跟馬，一樣有人養著，如果對父母沒有一片敬意，就不是真孝，那跟養狗養馬又有何差別呢（今之孝者，是謂能養。至於犬馬，皆能有養；不敬，何以別乎）？」孔子的這一比喻與見解，值得我們深思。孟子也說過類似的話。孟子說：「食而弗愛，豕交之也；愛而弗敬，獸畜之也。」意思是說對人如果沒有真正的愛心，只是把東西給人吃，那就和養豬一樣，但有愛心還不夠，要是沒有恭敬的心，那還是沒把人當人看，就像飼養動物一樣，是「犬馬之養」而非「人子之養」。因此「犬子之養」首重尊敬父母，這是每個人都有能力做到的，只有「為不為」的問題，沒有「能不能」的問題，但是給父母提供好的物質享受，並不是每個人都有能力做到的，如果給父母提供好的物質享受是孝，那麼自古貧家無孝子。

事實上，大多數的父母也不見得期望有多好的物質享受，就算只有「一粒花生」可吃，但這粒花生卻含著兒女的孝心，那也是滿心歡喜的，臺灣有句諺語：「在生食一粒土豆，卡贏死了拜一個豬頭。」意思是說應在父母還在世時孝順較有意義，如果父母在世時不能真心孝順，等父母往生了才用豐盛佳餚（豬頭）祭拜，那又有什麼意義呢？閩南語另一句俗諺：「在生吃四兩，卡贏死了拜豬羊。」也是強調父母在世時，孝敬他四兩肉，勝過死後用整隻豬羊來祭拜。這兩句臺灣諺語其實都是教人孝順需即時，死後才祭拜豐厚已沒有用，不如生前奉養的菲薄（祭而豐，不如養之薄也）。

說一個臺灣俗語「草繩拖俺公、草繩拖俺爹」的故事做為本文的結語。從前，有個父親因為年老體弱多病，兒子打算棄養，於是帶著他的兒子（也就是孫子）用一條草繩，合力將年邁的父親（阿公）拖到深山裡，打算丟棄在那兒，父子回程時，他的兒子卻將草繩撿了回來，父親就問他：「你為什麼把草繩帶回來？」他的兒子回答說：「將來等到你年老時，再用此草繩把你拖到森林裡。」

這個「草繩都會撿回來」的故事，其實暗示後輩子孫會以父親之行為加以學習仿效。我們終有一天會老，我們也都希望將來老的時候，也會得到子孫後輩的關愛，讓我們從孝敬父母做起，給後輩做個榜樣，同時也要尊敬長輩，你怎麼待別人，別人也會怎麼待你，現實人生，有時真的是「種什麼、生什麼」，「老吾老，以及人之老」，多做好事，準沒錯！

原文刊載於二〇一八年四月十八日《蘋果網路論壇》

# 鳳凰花開：謙虛、感恩、小心

驪歌輕唱，畢業季到來，各大專院校紛紛舉行畢業典禮，畢業典禮除了為畢業生撥穗及授證外，還有一個重頭戲，就是畢業典禮致詞（commencement address）。對學生來說，這是告別過去的典禮，也是迎向未來的儀式，各大學通常都會邀請所謂的社會名流向學生上在校的「最後一堂課」，如今年臺大就邀請旺宏電子總經理、欣銓科技董事長盧致遠向畢業生致詞；政大則邀請NBA首位臺裔運動員，哈佛大學畢業的林書豪擔任畢業典禮嘉賓。我不是社會名流，因此從來沒有想過會被受邀在畢業典禮上致詞，今年很榮幸獲選為臺大公共衛生學院傑出校友，依其傳統，自然成為學院畢業典禮致詞代表，真是既緊張又興奮。

我跟我的學弟學妹們分享我從臺大畢業後努力的過程，我跟他們說，我碩士班畢業服完兵役，即受聘擔任高雄醫學大學講師，迄今已三十二年，我來自於公教家庭，無豐實經濟背景，從來沒有出國深造的想法與奢望，可是在學術界服

為太太邱慧芬慶生共享午餐。

務，若沒有博士學位，自然沒有發展的前景，當時心情可謂心急如焚。在高醫服務時，認識我的太太邱慧芬（那時她已快博士班畢業），她不嫌棄這個只有臺大碩士畢業的窮小子，與我結婚，婚後鼓勵我申請國科會（科技部）的公費出國研究進修，很幸運獲得國科會資送赴美國耶魯大學進修攻讀博士學位（公費補助三年），我太太居功厥偉，因為所有的申請書幾乎都是她幫我打字，真是「入門蔭丈夫」，所以另一半很重要，你們未來的伴侶與人生未來的發展是息息相關的。我當然把榮獲傑出校友的榮耀歸功於當年太太那臨門一推，助我能赴美攻讀博士學位，否則即使再怎麼有才華也可能龍困淺灘，她是我人生最重要的貴人。

說實在的，那年我自己還未有充分的準備就來美國，語言能力更屬不行（老師上課，我都聽不懂），對於何時畢業，更屬茫然，但我出國時已是二個孩子的父親，那時最紅的一首歌曲叫〈瀟灑走一回〉，我每天都聽這首歌，告訴自己，要「既來之，則安之」，不論成敗，瀟灑走一回，我加倍努力，只要老師建議的參考書籍，我一概全買，自己自修苦讀，我真的以最快的時間在三年內完成博士學位，真是謝天謝地。人的潛力是無窮的，所謂「窮則變，變則通」，環境自然會逼迫你發揮潛能，遇到了就會知道，你不會坐以待斃，潛力自然會發揮無遺。

畢業後立即束裝返國，本以為獲有名校博士學位的光環，從此可以獲得長官青睞，平步青雲，沒想到等著我的是當頭棒喝的挫折，升等副教授未獲通過，真是晴天霹靂，如果是你，你看得破嗎？你忍得過嗎？但是形勢比人強，你要看得破，也要忍得過，我告訴我自己，「要忍得」，得意不能忘形，失意更不能忘形，我只有更加努力，以更好的學術表現來厚植自己的實力，第二年終於獲得升等副教授；我持續努力，默默耕耘，獲得第三屆陳拱北教授紀念獎，學術著作質量均獲得一定的好評，無奈升等教授，仍遭滑鐵盧，我百思不得其解，想起西漢鄒陽先生寫的文章〈獄中上梁王書〉，文說：「女無美惡，入宮見妒；士無賢不肖，入朝見嫉。」意思是說女子不論美醜，只要進入宮中就會受到嫉妒，士人無論賢能與否，一旦進入朝中就會遭人嫉妒，從人性的角度來看嫉妒之心人皆有之，不遭人嫉才是庸才，在職場要展現自己的能力，但如何學習降低別人對自己的嫉妒，也是很重要的學分，南懷瑾先生很喜歡提的一幅對聯「能受天磨是鐵漢，不遭人嫉是庸才」，願與大家共勉之。

我以前當學生時，老師請我幫忙做任何事，我都很感謝老師給我學習的機會，我從不會計較是否有任何報酬，我到高醫任教，未擔任行政主管前，可以說是永遠的行政老師，行政老師的主要工作就是系主任無法出席會議時，代理出席，我從無怨言而且一定準時出席，早到的長官看到一個不認識的年輕人坐在那裡，就走過來詢問我是誰，久而久之，長官都認識我，而我也在開會的過程中學習到學校行政運作的程序，我後來接任系主任又兼學院院長能嫻熟領導院務，與此有關。我去開會，也許大家認為浪費時間，但是無形中自然認識了許多長官，也無形中學習許多行政運作的細節，這個收穫是無價的，不是花錢買得到的。人生總是有得有失，做事有時不要太計較，計較太多，有時失去更多，不計較時，反而有時有意想不到的收穫。

約翰・伍登（John Wooden）在加州大學洛杉磯分校（UCLA）執教二十七年，曾帶領球隊在十二年裡拿下十次國家大學體育協會男籃總冠軍，是美國史上最成功的籃球教練，至今無人能敵，他曾說過：「才華是上帝給的，要謙虛；名氣是人給的，要感恩；自滿是自己給的，要小心（Talent is God-given, be humble; Fame is man-given, be grateful; Conceit is self-given, be careful）。」我以這三要，「要謙虛、要感恩、要小心」與今年的畢業生互相勉勵，並祝福你們的生命如鳳凰花般燦爛，生活得以喜福相隨。

原文刊載於二〇一八年六月十四日《蘋果網路論壇》

# 緬懷先父，父子同命、巧矣！

八月八日父親節快到了，大家都知道父親節是一個為感謝父親而慶祝的日子，但是，你知道父親節的由來嗎？父親節始於美國，一九〇九年美國華盛頓州的杜德夫人在參加母親節的教會禮拜後，心中有很深的感觸，她心想著：「世界上為什麼沒有一個紀念父親的節日呢？」原來她的母親在杜德夫人十三歲時因為生產不幸去世，留下六名子女，她的父親史馬特先生頓時成為鰥夫，他立志不再續弦，父兼母職全心養育六名子女，一九〇九年史馬特先生去世後，杜德夫人有感於她父親在養兒育女過程中的辛苦並不亞於任何一位母親的付出，於是提出了設立父親節的建議，借此向自己的父親致敬，並借此紀念全世界偉大的父親，她的倡議，馬上得到教會組織的支持，並得到華盛頓州州長的公開贊成，於是華盛頓州在一九一〇年六月十九日舉行世界第一次的父親節聚會，一九七二年美國尼克森總統將六月的第三個星期日定為美國的父親節，並成為美國的國定紀念日。

至於我國父親節的起源，則要追溯到民國三十四年，為了感念在八年抗日戰爭中許多戰士為國捐軀，其中更有不少人都已當爸爸，在上海的熱心人士，提議將「爸爸」的諧音「八八」，定為父親節，這就是我國父親節八月八日的由來。

孟子說，一個君子，有三樣事情是他人生真正的快樂（君子有三樂）。第一件快樂的事是父母都快樂安詳健在，兄弟姊妹之間和睦相處，不遭逢事故（父母俱在，兄弟無故），這不是人力勉強得來的，這是所謂的「天倫之樂」，所以君子特別珍惜，以此為人生至樂。第二件快樂的事是「仰不愧於天，俯不怍於人」，也就是一個人光明磊落，無忝於所生。第三件快樂的事是「得天下英才而教之」，也就是得到天下資質優秀的人才而來教育他們。這三樂，我有二樂半，因為我的父親已往生不在人世了，追想過去父子相處的日子還歷歷在目，時間過得很快，我與父親已分別四年（別來行復四年），思念之情怎麼能夠忍受呢（思何可支）？怎麼忍心再說呢（可復道哉）？

時間回到四十年前，父親有位相士朋友，為父親看相。該相士對父親說：「你會當校長。」我父親當時是國民中學的訓導主任，他是靠著苦讀參加中學教師檢定考試及格才當中學老師，當年因具有教學熱誠，做事小心謹慎、認真踏實，兢兢業業，受校長栽培賞識提拔為訓導主任。此人事案報到教育局，因父親未具大專畢業學歷，據聞教育局長的批示是「破格任用」。父親聽到相士友人之言「莞爾而笑」。「我連當訓導主任都不具資格，哪來當校長的命？」果不其然，那個學年度新派任的校長暑期在北部進修碩士學位，無法即時上任，依理應由教務主任代理，但是教務主任暑期也在進修碩士學位，我父親也就順理成章的在暑假期間代理校長兩個月。

我服務的學校，由於現任校長於六月三十日任期屆滿卸任，選任之校長未能於七月一日就任，董事會為使校務正常運作，選任本人自七月一日起代理校長，儘管只是代理校長，但也是高醫創校以來首位非醫師背景的校長。父親節將至，我很想念我的父親，但我一直無法與我的父親在夢裡相遇。

親愛的爸爸，生前我常對您說，我是高醫首位非醫師的副校長，非穿白袍的醫師在醫學大學能當上副校長，已是祖上有德。如今，我又被任命為代理校長，如果您還在世，您一定會很高興與驕傲，您會露出慈祥的笑容而且會感嘆：「咱父子同命，都有『代理校長』的命。」然後我們會大笑一場，這是讚美，也是肯定，是自豪，也是默許。親愛的爸爸，您現在可好？我寫這篇文章，希望冥冥之中您能看到，這或可抒解我心中對您的感念。

教育事業，從表面看來雖然很平凡，卻是歷史上最偉大的事業之一。孟子的第三件大樂事的前提是要有「英才」，如果得天下「笨才」而教之，難到就是苦差事嗎？大家都要得天下英才而教之，那笨才誰教呢？父親之前都是擔任升學班的導師，卸下擔任近二十年的訓導主任重擔後，學校特別安排他擔任所謂「放牛班」的導師，父親一點也不以為意，一點也不以為苦。他告訴我說，對資質差的學生，不要講太多高深的道理，他們無法領會，因此會失去學習興趣（中人以下，不可以語上也）。但是受教者如果因為天資不足，又沒有適切的教導，那才是令人遺憾的，有違孔子有教無類的教育理念，如何讓教育發揮功效，才是應嚴肅思考的問題。父親有講究實效的教育思想，他認為放牛班的學生，不是沒希望的一群，這些學生其實很團結又自立自強，那時候，學校都有班級整潔比賽，父親總是要求一定要拿全年級第一名，父親對他們喊話：「咱們讀書較差，但是我們不能連掃地也比別人差，那樣子的話，你們一輩子都會被人瞧不起。」果然，大家團結一致，整潔比賽拿第一名，提振同學「天生我材必有用」的信心。

隨後，父親鼓舞同學：「咱們不會讀書沒關係，但是咱們一定要習得安身立命的一技之長，咱們都是未來的老闆，咱們不是放牛班，咱們是未來的總經理班，切勿妄自菲薄。」父親基於這個理念，每週的班會，一定照常舉行，而且是由同學輪流主持會議，他希望藉由此機會，讓學生模擬老闆對員工講話，訓練學生的膽識與口語表達能力。

漂亮的孩子，人人都喜歡，而關愛難看的孩子才是真正的愛，這群笨鳥慢飛的孩子，後來進入社會事業有成後，都感懷父親的付出，時常到我家找父親敘舊，父親常感嘆說放牛班的孩子比較有感情，我從父親那裡體會到真正的教育不在於口訓，而在於實行；教人至難，必盡人之材，乃不致於誤人。父親從事教育工作四十餘年，樂在教育，對教育的奉獻，可謂快意滿足，難怪他榮獲全國十大最佳輔導楷模及兩次師鐸獎。

爸爸我很想你，父親節將至，你可以到夢裡來與我相敘嗎？

原文刊載於二〇一八年八月八日《臺灣時報》

緬懷先父楊連益先生。

# 給大學新鮮人的幾句話

暑假即將結束，今年考上大學的新鮮人即將進入校園，各大學都忙著迎接洋溢青春活力的學子，校園裡因著這批學子的加入而增添許多新鮮，各大學迎新活動與開學典禮也陸續開展，各大學校長都會在新生開學典禮上發表開學致辭（freshman convocation address），寄語新生，闡釋大學精神，並激勵學子奮鬥，這是新鮮人上大學的第一堂課。臺大昨天舉行「開學典禮暨新生學習入門書院始業式」，代理校長郭大維勉勵新生要有適當專業知識與技能，不要眼高手低，否則一切只是華而不實。

在傳統中國文化，只有小學與大學之分，不像現在還有中學。根據《禮記》記載，古人八歲入「小學」，先由學習灑掃應對開始，漸漸學習「六藝」，禮、樂、射、御、書、數，也就是所謂的啟蒙教育之學，所教導的都是最初最基本的（elementary）學習，由於教導的對象都是小孩子，所以稱之為小學，最基本的兒童啟蒙書本有《百家姓》、《三字經》、《弟子規》等，大家小時候都琅琅背誦，有趣而有意義的句子多得很，幾乎是引起大家共鳴的語言。

由八歲入「小學」，到十八歲束髮，所謂「束髮而冠」，以後就算正式成人了，再要進修就學，就要上「大學」了，上大學就是要學「大人之學」了。南懷瑾先生把「大人」定義為凡有志於學，內養的功夫和外用的知識，皆能達到某一個水準，即稱之為「大人」。那大學要學什麼呢？德國哲學家康德主張自由的探索未知和養成人們探求未知的習慣做為大學的生活方式，這是西方大學精神的啟源，因此我們可以說，大學就是要學習探究事物的原理，是一種非常廣泛的學習。

講到這裡，也要順便說到四書的第一本書《大學》，這是孔子的學生曾參所寫的一本學習論文，這本書宋儒朱熹先生曾說：「大學者，大人之學也。」它的第一段四句話：「大學之道，在明明德，在親民，在止於至善。」意思是說，要明白明德的修養（內養的功夫），然後親身走入人群社會，親近人民而為之服務，其實就是立己之後，身體力行躬身實踐的行為，然後達到圓滿的「至善」的境界，教育部目前推動的深耕教學計畫正積極推動的品德教育與大學的社會責任

(USR),其實就是古代「大學」精神的基本原理。

所以在這裡,我要強調上大學的意義,是在於「大大的學習」,簡單地說就是在大學的四年裡,要好好讀書,廣泛學習,充實自我,從而找到自己的興趣,希望四年後的你們,能令人有「士別三日,刮目相看」,已非「昔日阿蒙」之感覺。司馬光《資治通鑑》記載了這個故事,大意是說三國時期吳國名將呂蒙(打敗大意失荊州的關羽的名將)自幼家貧,沒機會讀書,十五歲就從軍,因此學問教養都不足,但是打起仗來,英勇殺敵,確有一套,為孫權立下許多汗馬功勞,但因缺乏讀書,被視為大老粗,也因為這樣,孫權在呂蒙身居要職,掌握重權後就要呂蒙好好學習,以充實自我(卿當塗掌事,不可不學),呂蒙常用軍中事務繁多為藉口推辭,孫權就對他說:「我又不是要你成為研究經書的博士,我只是認為你應該廣泛閱讀書籍,以便瞭解歷史罷了,你說你事務繁多,你的事會比我多嗎?我常常讀書,自己覺得大有幫助(孤豈欲卿治經博士邪?但當涉獵,見往事耳。卿言多務,孰若孤?孤常讀書,自以為大有所益)。」

呂蒙自此開始力求上進,一有機會就讀書(大大學習),魯肅(接任周瑜的將軍)有一天路過呂蒙駐地,與呂蒙討論軍國大事,呂蒙評論關羽是個如熊虎般的角色，一定要有應變計畫，並高談闊論他的方案，魯肅聽完非常驚訝地說：「你現在的學識英博，才能與謀略已不再是過去吳地的阿蒙了（卿今者才略，非復吳下阿蒙）！」呂蒙則略帶得意地回答：「讀書人離別三日，就一定要有所長進，讓人除掉過去的印象，重新另眼看待，老兄您認識今天的呂蒙恐怕晚了點吧（士別三日，即更刮目相待，大兄何見事之晚乎）！」

領導美國贏得第二次世界大戰的總統杜魯門說過，不是每位閱讀者都能成為領導者，但領導者一定熱愛閱讀。從接觸書籍到習慣閱讀，是一門成為領導者的必要過程，既深且廣的閱讀習慣往往是一流領導人必備的特質，而且往往經他們的思考之後（thinking）形成創新與洞見，這是西方人所說的領導者一定是閱讀者（Leader is reader）。宋太宗趙光義（趙匡胤的弟弟）是宋朝第二位皇帝，他曾命令大文學家李昉等學者編輯一套歷代古籍精華的百科全書《太平總類》，此書歷七年完成，巨著呈給太宗後，他每天規定自己要閱讀三卷，有時因國事繁忙，耽擱了而無法完成進度，也一定抽空補上（因事有缺，暇日追補之），因此此書後來改名為《太平御覽》。大臣們怕他每日要處理那麼多國家大事，又要閱讀這本書，太辛苦了，就勸他少看一些，但宋太宗卻說：「開卷有益，朕不以為勞也！」這就是開卷有益的典故，西方俗話說的「Leader is reader」，宋太宗稱得上是典範。

有一次記者問已逝的英業達董事長溫世仁，有什麼話要送給年輕人？他的回答很簡單只有四個字：「開始讀書。」清代中興名臣左宗棠，在未得志前，連吃飯都成問題，但他的書房有副對聯「讀書萬卷，神交古人」，這種胸襟與抱負，是年輕人應該效法的。知名作家余秋雨說：「閱讀的最大理由就是想擺脫平庸。」要言之，我期待大學新鮮人在大學四年裡，要盡己之力，大大學習，超越你之前的自己；四年後，除了有自己的專業外，希望你們的談吐、你們的氣質、你們的見識、你們的品味，都能令人刮目相看，切勿入大學寶山，空手而回。祝福各位新鮮人學習旅程收穫滿滿。

原文刊載於二〇一八年八月二十七日《蘋果網路論壇》

# 安得禹復生，為臺水官伯

今夜，外面又下著濛濛細雨，突然想起一首曾經流行一時的閩南語情歌〈今夜又擱塊落雨〉，第一段歌詞是：「這不是你的錯誤，也不是我的過錯，如今變成這款的結果，真是乎人想攏無。」南臺灣八月二十三日起因熱帶性氣壓與西南風輻合產生劇烈降雨，豪雨釀成嚴重水災，如果這是天降暴雨導致洪災造成的災情，那真的如歌詞所說，這不是你我的錯，但是變成廣大百姓的重大財產損失，真是令人意想不到。

如果這個水災是非人為因素造成的不可抗拒的天然災害，就如行政院賴清德院長所說，這麼大雨勢，在二十四小時的雨量超過六百毫米，下在臺灣哪個城市可以不會淹水呢？這是人們習以為常地把各類災害的罪魁禍首歸諸於老天爺神威莫測的惡作劇造成的，然而，如果真是這樣，那我們應該開始學會更「謙卑」地面對大自然，簡單來說，就是人應該尊敬天地，尊重自然，這也是老子所說的

「人法地，地法天，天法道，道法自然」的道理。

古代的帝王，遇到天災，總是會沐浴齋戒，祭拜天地，以示順天而行，有時甚至下詔罪己，希望獲得上天的原諒，起碼這是懂得反躬自省，反求諸己，看看自己有無過失，並改變政策。但是賴清德院長絲毫沒有檢討在治水防洪的政策有無疏失，反而說出「看哪一個批評的人可以講出來，讓他當上帝，選擇這些雨量下在哪些地方，他有把握不會淹水？」這個「上帝論」，後來雖有道歉，但也被批評施政太過傲慢，一切只能說是咎由自取。

我們來看看古人如何治水，大禹治水的故事，大家耳熟能詳。相傳堯的時候，洪水橫流，泛濫成災，人民為此憂愁（下民其憂），堯當然更憂慮，起用鯀去治理洪水，他用壅堵之法，治理九年，洪水不退，事情沒有辦成（功用不成）；到了舜時，任用鯀的兒子禹繼續其父治水事業，大禹疏通河道，使河水流到大海（疏九河，而注之海），排除水道淤塞之處，並修築湖澤堤障「陂九澤」，因勢利導，總共在外勞碌奔波，操心憂慮十三年「勞身焦思」，三過家門而不入，終於完成治水大業。古人征服水患的過程與方法，戰勝自然災害的智慧，仍值得我們借鑒，大禹治水，大公無私，毫無怨言，不推諉卸責，拯救人民於水火的英雄故事，司馬遷《史記・夏本紀》有大篇幅的記載。反觀臺灣歷年的治水，就是「政治口水」多了點，「大禹精神」少了點，真是令人遺憾。

古時候主管水利的官員叫做「司空」，《荀子・王制篇》提到司空的主要工作有：修堤壩、疏通河渠水道、通暢積水、建造水庫，並依據時令蓄水或洩水（修隄梁，通溝澮，行水潦，安水臧，以時決塞），因此治水非只有硬體建設而已。論者或以歷年投入大量經費治水，卻未產生防災效能，筆者非水利學者，無從評論，但認為平時的疏浚工作也非常重要，治水的基層主管公務員，平時即應勤於查察排水系統是否有阻塞通暢，否則龐大治水經費只用於硬體設施，平時疏於決塞及維護管理，滂沱大雨一來，硬體設施無法發揮完全效能，發生淹水的情形也屬必然。這次南部的水災，政府當局應痛定思痛，謙卑檢討發生災情的可能原因，設法補救，以防止未來類此情形繼續受損失，所謂亡羊補牢，未為遲也。

唐朝詩人醉吟先生白居易，他的詩作平易近人，老嫗能解，「野火燒不盡，春風吹又生」的詩句更是傳誦不已。白居易公元八二二年，從長安往杭州擔任刺史，路過岳陽樓，見到洞庭湖泛濫水患，人民飽受災害之苦，寫出了〈自蜀江至洞庭湖口有感而作〉的長詩，其中有「安得禹復生，為唐水官伯。手提倚天劍，重來親指畫」的詩句，希望大禹重生來做唐代的水官，以治理水患，手提著倚天長劍，再次親臨指點治水救民的願望；詩中白居易也寫出根本上祛除水患的方法就是：疏導水流，挖掘堵塞，「疏流似剪紙，決壅同裂帛」，意思是疏通水流好像剪紙一樣，挖掘堵塞就如同撕裂絲綢，在他看來，水流一旦受到阻塞，就如同人身上的毒瘤一樣（水流天地內，如身有血脈），一定要對症治病才有效，孟子說：「學問之道無他，求其放心而已矣。」我要說：「治水之道無他，求其疏通而已矣。」全球氣候變遷，未來雨災的考驗更加嚴峻，要預防大災難，只有靠平時加強疏浚的工作，平時多做準備，大雨來時才能將災損減到最低。

原文刊載於二〇一八年九月三日《蘋果網路論壇》

# 以張天欽的東廠事件為借鏡

促進轉型正義委員會副主委張天欽遭部屬錄音，在內部會議中，直接點名新北市長參選人侯友宜是轉型正義最惡劣的例子，並說「這個如果沒操作，很可惜」，且自詡促轉會「本來是南廠，現在變西廠，後來已升格為東廠」而沾沾自喜，離譜談話遭批評為選戰打手，事件發生後，張天欽迅速請辭，朝野同聲譴責，提名他的行政院長賴清德表示無法接受張天欽的行為，他的錯誤行為不僅傷害機關的信譽，製造社會對立，也不會為社會所接受，賴院長向社會大眾公開致歉，蔡英文總統也表示發生此事並不妥適。

先來說說東廠的歷史。明朝的特務機構統稱為「廠衛」，廠是指東廠、西廠、內行廠（對不起，經查沒有南廠），衛是指錦衣衛，朱元璋（一三八二年）時將所謂的皇家侍衛軍改名為錦衣衛，錦衣衛直接聽命於皇帝，除了保衛皇帝外，還要監視文武百官，具有不經過司法部門而直接進行偵緝官民的權力。朱元璋之子燕王朱棣起兵爭奪皇位，「靖難之役」發生，建文帝（朱元璋的長孫）下落不明，朱棣稱帝即為明成祖，異議分子紛起，為了鎮壓政治上的反對力量，鞏固政權，明成祖於永樂十八年（一四二〇年）設立一個「東緝事廠」，簡稱「東廠」的新衙門，其首領由皇帝選任太監擔任，東廠的權力在錦衣衛之上，東廠大門口掛有一幅匾額，上面寫著「朝廷心腹」，還有岳飛的畫像，用來勉勵人員精忠報國，辦案毋枉毋縱。

西廠的全名是「西緝事廠」，明憲宗成化年間（一四七七年），京城有巫術傳聞，並傳有弒君意圖，憲宗大為緊張，並明顯感到錦衣衛與東廠的失職，不起作用，於是派身旁太監汪直往宮外刺探消息，汪直緊抓機會，搜羅消息給憲宗，汪直得到憲宗的寵信，成立了一個新的特務機構「西廠」，其權勢還在東廠之上（監視東廠及錦衣衛），三品以上大臣皆可逮捕以後再上奏皇帝。明武宗正德年間，又設內行廠，由宦官劉瑾把持，東西兩廠及錦衣衛亦受其監視，是明朝廠衛中權力最大但時間最短（五年）的機構，但屬下特務之專橫，用刑之殘酷，則更甚於東西兩廠。事實上，西廠與內行廠之存在時間均不長，是皇帝或宦官為了個人喜好而成立的特務機構，只有東廠，與大明王朝共存亡。大明王朝身受宦官專權之苦，許多官僚依附於他們，被稱為「閹黨」，明英宗的王振、明憲宗的汪直、明武宗的劉瑾、明熹宗的魏忠賢都是惡名昭彰的閹黨之首，對國家政治破壞力之強，終致大明王朝的敗亡。

轉型正義是蔡政府執政的核心價值之一，政府成立促轉會的目的在《促進轉型正義條例》第一條即開宗明義揭示：「為促進轉型正義及落實自由民主憲政秩序……。」張天欽的「東廠」說凸顯了這個核心價值正被扭曲成政治操作工具，更是對民主憲政構成可怕的威脅。南宋文學家羅大經著有《鶴林玉露》一書，其中有一篇〈能言鸚鵡〉，描述士大夫言行不一，口是心非的醜態。文章引用程頤的高足上蔡先生的話破題：「透得名利關，方是小歇處。今之士大夫何足道，真能言之鸚鵡也。」意思是說能看破名利這兩關，是士大夫最起碼要做到的功夫，現在的士大夫哪裡值得談論稱道，只不過是一群會說話的鸚鵡罷了，接著又引用朱熹的話：「當今的秀才們，你教他說廉，他就是會說廉，你教他說義，他就是會說義，等到行為做出來，卻只是不廉不義。」這就是善於學舌會說話的鸚鵡。如果在上位者崇尚花言巧語，喜歡吹捧不辨實事的政策（上以言語為治），在下位的好名利之徒，必然投上位者之所好，只學習說些話的世風（下以言語為學），這正是造成世風日下的原因，就是所謂的上樑不正下樑歪。有人看到這些會說話的鸚鵡，竟然都指稱那是鳳凰，如果不把牠們養在皇家專設的珍禽花囿之中，那不是很反常的奇怪現象嗎（而或者見能言之鸚鵡，乃指為鳳凰鸑鷟，惟恐其不在靈囿間，不亦異乎）？事實上，我們最怕的是張天欽「東廠」說，這股「能言鸚鵡」歪風，可能造成整個社會風氣「練肖話」成性，賣弄口舌，說得口沫橫飛，實際上卻是言行不一，口是心非，很難令人苟同。

張天欽位居促轉會副主任委員，可謂位高權重，擁有權力和地位高的人，往往掌握了最後解釋權，因此擁有權力的人，應該謹慎自己的言語，慎用自己的權力，因為你的一言一語，往往就能決定別人的榮辱；在上位的領導者也應審慎對待自己的喜好，古云：「楚王好細腰，宮中多餓人。」所謂「上有所好，下必從焉」，值此時刻，應提倡正直守法的好風氣，宣示政府部門應以張天欽的東廠事件為借鏡，讓轉型正義回歸正軌，避免類似情事再發生，則國家幸甚。

原文刊載於二〇一八年九月十七日《蘋果網路論壇》

MEMO

# 俊逸文集

國家圖書館出版品預行編目（CIP）資料

俊逸文集／楊俊毓著．-- 初版．-- 高雄市：巨流，
2019.01
面；　公分

ISBN 978-957-732-575-4（平裝）

1. 言論集

078　　　　107022464

著　　者　楊俊毓
責任編輯　張如芷
封面素材　邱慧芬
封面設計　謝欣恬

發 行 人　楊曉華
總 編 輯　蔡國彬

出　　版　巨流圖書股份有限公司
80252 高雄市苓雅區五福一路57號2樓之2
電話：07-2265267
傳眞：07-2233073
e-mail: chuliu@liwen.com.tw

編 輯 部　10045 臺北市中正區重慶南路一段57號10樓之12
電話：02-29222396
傳眞：02-29220464

劃撥帳號　01002323 巨流圖書股份有限公司
購書專線　07-2265267 轉236

法律顧問　林廷隆律師
電話：02-29658212

出版登記證　局版台業字第1045號

ISBN／978-957-732-575-4（平裝）
初版一刷・2019年1月
初版十二刷・2019年12月

定價：250元

版權所有，請勿翻印

（本書如有破損、缺頁或倒裝，請寄回更換）